Sylvia Waugh
Die Mennyms in der Falle

# Sylvia Waugh
# Die Mennyms in der Falle

Aus dem Englischen von
Cornelia Krutz-Arnold

Carl Hanser Verlag

Die Originalausgabe erschien 1995 unter dem Titel
*Mennyms Under Siege*
bei Julia MacRae Books in London

1   2   3   4   5     01   00   99   98   97

ISBN 3-446-18727-8
© Sylvia Waugh 1995
Alle Rechte der deutschen Ausgabe:
© Carl Hanser Verlag München Wien 1997
Ausstattung: Hannes Binder, Zürich
Satz: Reinhard Amann, Aichstetten
Druck und Bindung:
Franz Spiegel Buch GmbH, Ulm
Printed in Germany

Für Julia, meine Verlegerin,
die mich sehr ermutigte.
Und für Karen,
die mich gut beriet.

... Häuft' ich gleich
Leben auf Leben, wär's zu wenig doch,
Und von dem einen bleibt nicht Viel zurück,
Doch jede Stunde, die dem ew'gen Schweigen
Entrissen wird, ist Etwas noch für mich,
Die Botin neuer Kunde ...

Tennyson: *Ulysses**

\* Aus: Tennysons ausgewählte Dichtungen. Aus dem Englischen von Adolf Strodt-
mann. Leipzig und Wien: Bibliographisches Institut 1868

# 1
# Ponyfransen

Ich brauche einen Pony.«
Pilbeam betrachtete sich kritisch in dem Spiegel, den sie auf dem Küchentisch aufgebaut hatte. Ihre langen, schwarzen Haare waren zurückgekämmt und ließen die hohe Stirn frei.

Ihre Mutter war mit Bügeln beschäftigt. Lächelnd schaute sie von ihrer Arbeit auf.

»Du ›brauchst‹ Ponyfransen? Du meinst doch bestimmt, daß du gern welche hättest oder sie dir wünschst?«

»Nein«, sagte Pilbeam. »Ich meine tatsächlich ›brauchen‹.«

Vinetta stellte das Bügeleisen ab und setzte sich zu ihrer ältesten Tochter.

»Na, mach schon. Raus mit der Sprache«, sagte sie. »Es paßt nicht zu dir, daß du das Wort ›brauchen‹ so leichtfertig verwendest.«

»Ich brauche einen Pony«, sagte Pilbeam, »damit er meine Stirn verdeckt und gegenüber der Außenwelt als eine Art Vermummung dient.«

Das war ein durchaus einleuchtender Grund, aber offensichtlich noch nicht die ganze Geschichte.

»Bisher bist du doch auch so ganz gut zurechtgekommen«, sagte ihre Mutter. »Was ist jetzt auf einmal anders?«

»Ich möchte ins Theater«, sagte Pilbeam. »Ich will ganz richtig in ein ganz echtes Theater gehen. Dann sitze ich neben *Men-*

*schen*. Und dazu muß mein Gesicht so gut wie möglich von den Haaren verdeckt werden.«

Ihre Haare reichten ihr fast bis zur Hüfte. Sie waren dick und schwer und sahen völlig echt aus. Pilbeam war die Schönheit in der Familie, eine richtige Märchenprinzessin. Und die Mennyms waren eine merkwürdige Familie, eine Familie aus lebensgroßen Lumpenpuppen, die vor vierundvierzig Jahren von Kate Penshaw geschaffen worden waren. Ihr Hobby war der einsamen alten Dame zum Lebensinhalt geworden, und nach ihrem Tod waren die Puppen auf geheimnisvolle Weise lebendig geworden, hatten das Haus im Brocklehurst Grove Nummer 5 übernommen und fast wie Menschen darin gewohnt. Bis auf Pilbeam. Sie war Kates letzte Schöpfung gewesen und hatte vierzig Jahre lang unvollendet auf dem Dachboden gelegen. Soobie, ihr Zwillingsbruder, hatte sie in einer Truhe aus Weidengeflecht gefunden, und Vinetta, ihre liebevolle Mutter, hatte die von Kate vor langer Zeit begonnene Arbeit zu Ende geführt.

Es war überraschend leicht gewesen, Kates Haus zu übernehmen. Chesney Loftus, der es erbte, lebte in Australien und war gar nicht erst hergekommen, um sein Erbe anzutreten oder es auch nur zu inspizieren. Unter Kates Papieren hatten die Mennyms den Namen eines Verwalters gefunden. Dem hatten sie geschrieben, sich als »zahlende Gäste« von Kate ausgegeben und darum gebeten, als Mieter im Haus wohnen bleiben zu dürfen. Vor drei Jahren war Chesney gestorben und hatte das Haus, das er nie gesehen hatte, seinen Mietern für den Zeitraum, in dem Sir Magnus und/oder sein Sohn Joshua dort wohnten, hinterlassen. Er war davon ausgegangen, daß sie schon im vorgerückten Alter waren, und er hatte ganz gewiß nicht damit gerechnet, daß sie ewig leben würden. Bei ihrem Ableben sollte der Besitz an einen englischen Zweig von Kates Familie fallen.

In den vierundvierzig Jahren, die sie hier wohnten, war es

den Mennyms nie schwergefallen, in Läden, auf den Markt und in den Park zu gehen. Dazu mußte man nur ganz einfach Kleider tragen, die den Stoff verbargen, und dunkle Brillen verschiedener Stilrichtungen, um dahinter die Knopfaugen zu verstecken. Aber so ein Theaterbesuch war etwas anderes. Wie anders, konnte Vinetta nicht mit Sicherheit sagen. Es war eine erschreckende Vorstellung für sie, daß ihre Tochter in so engen Kontakt mit Menschen kommen würde, aber sie respektierte Pilbeams Wünsche und vertraute ihrem Urteilsvermögen. Es war ihre feste Überzeugung, daß man junge Menschen nicht dauernd entmutigen durfte.

Sie unterzog Pilbeams Frisur einer genauen Musterung.

»Wenn ich dir die Haare nach vorn kämme«, sagte sie, »könnte ich dir einen Pony mit langen Fransen schneiden.«

»Nein«, sagte Pilbeam, »das reicht nicht. Dann hätte ich oben auf dem Kopf womöglich eine Art Scheitel, und außerdem würde dadurch das Haar ausgedünnt. Ich brauche da vorn aber mehr Haare, nicht weniger. Könntest du nicht versuchen, einen Pony zu machen und ihn dann festzunähen? Wenn ich ihn mal nicht mehr haben will, können wir ihn einfach wieder abnehmen, so wie Dads Bart, nachdem er bei Peachum den Weihnachtsmann gespielt hatte.«

»Woraus soll ich ihn machen?« sagte Vinetta. »Deine Haare sind so wunderschön seidig. Der Pony müßte genau dazu passen. Aber ich habe nichts Geeignetes in meinem Nähkorb. Da brauche ich gar nicht erst nachzusehen.«

»Kein Problem«, sagte ihre Tochter. »Schneid einfach unten ein paar Zentimeter ab. Ich finde sowieso, daß es hinten ein bißchen zu lang ist.«

Noch am selben Nachmittag wurde die Operation durchgeführt. Poopie und Wimpey, die zehnjährigen Zwillinge, sahen fasziniert zu. Es war ein frostkalter Tag im Januar, mit tiefhängenden Wolken, die Schnee fürchten ließen. Den Zwillingen war so langweilig, daß sie es als willkommene Abwechslung betrachteten, ihre ältere Schwester leiden zu sehen. Nicht daß das Annähen schmerzhaft gewesen wäre, aber doch nervig und lästig. Pilbeam war ganz und gar nicht erfreut darüber, daß ihre jüngeren Geschwister ein so aufmerksames Publikum darstellten.

»Das muß ja ein komisches Gefühl sein«, sagte Wimpey, als sie zusah, wie die Nadel in Pilbeams Stirn stach. Mit schräggelegtem Kopf stand sie da und schaute zu ihrer Mutter und ihrer Schwester hoch. In Wimpeys hellblauen Augen lag immer ein Staunen. Ihre goldenen Locken, die mit Satinschleifen zu Rattenschwänzen gebunden waren, ließen sie altmodisch aussehen und ließen bei ihr die Puppennatur deutlicher zutage treten als bei den anderen der Familie.

»Halt still«, sagte Vinetta, als Pilbeam den Kopf zur Seite drehte, um ihre Schwester anzusehen. »Sonst verheddert sich der Faden.«

Joshua, ihr Vater, der nach seinem Schläfchen in die Küche herunterkam, zog die Augenbrauen hoch und machte sich dann mit der braunen Teekanne zu schaffen, tat so, als würde er Tee kochen und ihn in seinen alten Port-Vale-Becher gießen. Er war ein schweigsamer Mann, dessen barsches Wesen seine Puppenhaftigkeit gut verbarg. Wie bei allen Familienmitgliedern war sein Leben eine Mischung aus Wirklichkeit und So-tun-als-ob. Er arbeitete wirklich als Nachtwächter in Sydenhams Elektrolager. Er hielt, unterstützt von seinem Sohn Poopie, wirklich den Garten in Ordnung. Aber die Pfeife, die er »rauchte«, war nur ein So-tun-als-ob. Den »Tee«, den er kochte, gab es nicht wirklich. Aber es gibt eine echte Football-Mannschaft, die Port Vale heißt, eine der ältesten in der englischen Liga. Joshua, der immer schon ihr getreuer Fan war, hatte sie jedoch noch nie spielen gesehen.

Als die Ponyfransen an Ort und Stelle saßen, trat Vinetta zurück und bewunderte ihr Werk. Dann hielt sie Pilbeam einen Spiegel vor, und einen zweiten Spiegel hielt sie hinter ihre Tochter, damit sie sich von allen Seiten betrachten konnte. Die Zwillinge sahen ihr dabei zu.

Poopie schaute unter seinem eigenen Pony hoch, gelben Fransen, die in einer geraden Linie quer über die Stirn verliefen. Seine leuchtend blauen Augen funkelten. »Diesen Pony mag ich nicht an dir«, sagte er. »Vorher hast du mir besser gefallen.«

Pilbeam betrachtete sich besorgt.

»Was meinst du, Dad?« fragte sie Joshua.

Ihr Vater schaute kaum von der Zeitung auf, in die er sich inzwischen vertieft hatte. »Kein großer Unterschied«, sagte er.

»Also, *ich* finde es wunderschön«, sagte Wimpey.

Miss Quigley kam herein, um das Fläschchen für Baby Googles zu holen. Seit drei Jahren war sie die Kinderfrau von Vinettas Jüngster. Davor hatte sie im Flurschrank »gewohnt« und war in regelmäßigen Abständen als Gast und Vinettas Freundin im Haus der Mennyms aufgetaucht. Angeblich hatte sie ein eigenes Haus in der Trevethick Street, aber das war nur ein So-tun-als-ob-Spiel. Sie war eine Dame unbestimmten Alters, mit einem Gesicht, das nicht hübsch, aber sympathisch war. Ihre dünnen Haare hatte sie im Nacken zu einem festen, kleinen Knoten aufgesteckt. Seit sie richtig ins Haus eingezogen war, hatte sie ungeahnte Talente entwickelt, nicht nur als Kinderfrau, sondern auch als Malerin. Die Bilder, die sie malte, hätten mit Sicherheit weithin Beachtung gefunden, wenn es sich um die Arbeiten eines Menschen und nicht einer Lumpenpuppe gehandelt hätte.

Sie streifte Pilbeam mit einem Blick, und ein flüchtiges, schmallippiges kleines Lächeln huschte über ihr Gesicht.

»Aus Schneewittchen ist Kleopatra geworden«, sagte sie im Vorbeigehen.

Pilbeam schaute verärgert drein, und Vinetta, die den Gesichtsausdruck ihrer Tochter sah, wußte genau, was als nächstes kommen würde.

»Das sieht bestimmt komisch aus«, sagte Pilbeam. »Wir müssen es wieder abtrennen.«

»Laß dir Zeit damit«, sagte ihre Mutter. »Denk darüber nach. Gewöhn dich daran. Vergiß nicht, daß es deine Idee war. Und du hast gesagt, daß du einen Pony *brauchst*.«

Vinetta ging es gegen den Strich, daß die Arbeit der letzten beiden Stunden völlig umsonst gewesen sein sollte. Wenn die liebe Hortensia doch nur ein bißchen taktvoller gewesen wäre! Im Grunde war ja nichts dagegen zu sagen; es war schließlich keine Beleidigung, mit der Königin von Ägypten verglichen zu werden, aber Jugendliche nehmen immer alles so ernst. Die neue Frisur stand Pilbeam gut. Jeder, der nur ein bißchen Geschmack hatte, konnte das sehen. Und nach ein paar Tagen sahen es auch alle.

»Du siehst älter damit aus«, sagte Granny Tulip. »Erwachsener.«

»Ich *bin* erwachsener«, sagte Pilbeam.

Es war Dienstag, und sie saß zusammen mit Tulip und Vinetta im Frühstückszimmer, das in diesem Haus, in dem drei Generationen zusammenlebten, Tulip als Büro diente. Lady Tulip Mennym war eine erstaunliche Frau. Mit ihren weißen Haaren und der blaukarierten Schürze sah sie wie eine typische Oma aus, ein richtiges Hausmütterchen. Sie war klein und gepflegt, mit flinken Bewegungen und einer schnellen Sprechweise. Aber zusätzlich zu alldem war sie auch noch eine ausgezeichnete Geschäftsfrau. Und als wäre das noch nicht genug, konnte sie außerdem noch so gut stricken, daß Harrods, das berühmteste Kaufhaus in ganz London, die Kleidungsstücke verkaufte, die sie entworfen und angefertigt hatte. Natürlich hatte man bei Harrods keine Ahnung davon, wie sehr die Firma *Tulipmennym* sich von den anderen Lieferanten unterschied.

Pilbeams Tonfall machte ihre Großmutter hellhörig. Sie blickte auf. Aus ihren klugen Kristallaugen sprach die Erkenntnis, daß Pilbeam eine echte Aussage gemacht hatte und es sich nicht nur um leere Worte handelte.

»Ich habe nämlich beschlossen«, fuhr Pilbeam fort, »nicht

mehr sechzehn, sondern achtzehn Jahre alt zu sein. Soobie ist damit einverstanden. Seit letztem Jahr haben wir uns weiterentwickelt. Das trifft für die ganze Familie zu. Aber in unserem Fall bedeutet es mehr. Wir waren Jugendliche. Jetzt sind wir erwachsen.«

»Achtzehn oder sechzehn – das macht keinen großen Unterschied«, sagte Vinetta besorgt. »Wir sind, wie wir sind. Für uns schließt sich der Kreis, ob uns das nun gefällt oder nicht. In der Welt der Menschen gibt es einen immerwährenden Wandel. Kinder wachsen heran, heiraten und werden alt. Ein solcher Kreislauf ist für uns nicht möglich. Das würden wir auch gar nicht wollen. Schließlich haben wir kein schlechtes Los gezogen. In über vierzig Jahren sind wir kein bißchen älter geworden. Es gibt in der Welt draußen bestimmt viele, die uns darum beneiden würden.«

Es war noch nicht mal einen Monat her, seit sie ihren ersten und einzigen Kontakt mit einem Menschen abgebrochen hatten. Albert Pond, der Großneffe von Kate Penshaw, war von Kates Geist herbeigerufen worden, um die Familie Mennym zu retten, als ihr Haus im Brocklehurst Grove Nummer 5 einer Schnellstraße weichen sollte und vom Abriß bedroht war. Abgesehen von Sir Magnus hatte die ganze Familie Albert mit der Zeit als einen der Ihren betrachtet, eine Art Lumpenpuppe ehrenhalber, aber die Trennung von ihm war unvermeidlich geworden, als er sich in Pilbeam zu verlieben schien und sie sich in ihn.

Pilbeam lächelte ihrer Mutter zu, der armen, besorgten Vinetta, die aus lauter Zartgefühl nur schwer die richtigen Worte fand.

»Ist schon gut, Mum«, sagte Pilbeam. »Ich weiß, daß ich nie einen Freund haben werde. Granny kann mir ja wohl schlecht einen stricken! Wenn man heranwächst und reifer wird, dann bedeutet das, daß man sich als das, was man ist, akzeptiert und das Beste daraus macht. Weißt du Mum, auch Soobie hat sich verändert. Er hat gelernt, mehr Spaß am Leben zu haben, auch wenn er eine blaue Lumpenpuppe ist. Und so joggt er jetzt heimlich durch die nächtlichen Straßen. Vielleicht hat das ja der Trainingsanzug bewirkt!«

Soobie, Pilbeams Zwillingsbruder, unterschied sich von allen anderen Familienmitgliedern – er war nämlich von Kopf bis Fuß vollständig blau. Als Augen hatte er helle, glänzende, intelligente Silberknöpfe.

Vinetta freute sich darüber, daß Pilbeam den Trainingsanzug erwähnte. Sie hatte ihn bei Peachum, dem größten Kaufhaus der Stadt, für Soobie gekauft, als sein alter, blaugestreifter Leinenanzug nur noch aus Fetzen bestand und er sich endlich einverstanden erklärte, modernere, menschlichere Kleidung zu tragen.

»Da hast du ganz recht«, sagte Vinetta. »Soobie sieht in seinem Trainingsanzug richtig flott aus.«

Pilbeam lachte.

»Das war doch ein Witz, Mum. Warum mußt du immer alles wörtlich nehmen?«

Vinetta lächelte. »So bin ich halt, zu festgefahren, um mich noch groß weiterzuentwickeln.«

»Ich aber nicht«, sagte Pilbeam. »Also stell dich bitte den Tatsachen. Ich bin achtzehn Jahre alt. Und Soobie auch. Wir sind keine Kinder mehr.«

»Und was wird dann aus Appleby?« fragte Granny Tulip.

In diesem Augenblick erschien Appleby in der Tür, eine Fünfzehnjährige mit roten Haaren und grünen Augen, die vor Lebenslust nur so sprühte. Sie war die Lebhafteste in der Familie, eine Dauer-Jugendliche, die nie die Wahrheit sagte, wenn sie nicht auch mit einer Lüge durchkommen konnte.

»Was ist mit Appleby?« fragte sie. Ihr Tonfall war knurrig und mißtrauisch.

»Appleby ist Appleby«, sagte Pilbeam. »Die wird sich nie ändern.«

»Will ich auch gar nicht«, sagte Appleby. »Dir ist wohl dein Pony zu Kopf gestiegen!«

Pilbeam hielt die Luft an, und es gelang ihr, nicht zu lachen. Vinetta stand auf und wandte sich zum Gehen.

»Lassen wir Granny jetzt in Ruhe. Sie hat zu tun und ich auch.«

Als alle gegangen waren, rief Tulip, den genauen Anweisungen folgend, die sie von Pilbeam bekommen hatte, die Theaterkasse an, um eine Karte zu bestellen. Anfangs war sie etwas unsicher gewesen, ob ein solches Unternehmen klug war, aber Pilbeam war so sicher und entschlossen aufgetreten, daß ihre Großmutter nicht widersprochen hatte.

»Ich hätte gern einen Platz im Parkett, für den *Kaufmann von Venedig*, am Donnerstag, den siebenundzwanzigsten Januar«, sagte Tulip, als jemand abgenommen hatte.

»Einen Augenblick, bitte«, sagte das Mädchen am anderen Ende der Leitung. Stimmen waren zu hören, die sich im Büro miteinander unterhielten. Dann nahm das Mädchen den Hörer wieder auf. »Wir haben ...«, fing sie an.

»Der Platz muß an einem Seitengang sein, in der Nähe eines Ausgangs«, fiel Tulip ihr ins Wort.

»Kein Problem«, sagte das Mädchen. »Die Sitznummer 33N entspricht haargenau ihren Vorstellungen. Wir schicken Ihnen die Karte zu, wenn Sie mir die Daten Ihrer Kreditkarte durchgeben ...«

Und so war alles geregelt. Am Donnerstag in einer Woche würde Pilbeam zum ersten Mal ins Theater gehen. Ein echtes Ereignis im Hier und Jetzt, keine ausgedachten Erinnerungen.

# 2
# Liebe Bunty

Im Wohnzimmer des Obergeschosses von Brocklehurst Grove Nummer 9 saß Anthea Fryer in einem Sessel am Erkerfenster. Vor zwei Monaten war ihre Kampagne zur Rettung des Grove mit einem triumphalen Auftritt auf dem Dach zu Ende gegangen. Es war ein erhebendes Gefühl gewesen, dort oben zu stehen, im Mittelpunkt der Fernsehkameras, die mit dem Zoom Nahaufnahmen von ihrem strahlenden Gesicht machten, während sie das Spruchband, das den Sieg verkündete, am Schornstein befestigte... Nach ihrem Aufstieg zu solchen Höhen war sie jetzt ziemlich abgestürzt. Grippe, mieses Wetter und ein Brief von ihrem Bruder hatten dafür gesorgt, daß ihr hundeelend zumute war. Sie biß sich auf die Lippe, als sie seine Worte nochmals durchlas.

Liebe Bunty,

hat Dich der Teufel geritten oder was in aller Welt hat Dich dazu gebracht, Dich so zur Schau zu stellen? Selbst hier in Cornwall kam die Geschichte im Fernsehen, in einer Sendung zum Thema Bürgerinitiativen gegen Bürokratie. Wir trauten unseren Augen nicht, als plötzlich Du zu sehen warst.

Ich weiß, es diente alles einem guten Zweck, und ich freue

mich ja auch, daß Du Erfolg hattest. Aber meinst Du nicht, daß Deine Klettertour aufs Dach ein bißchen übertrieben war? Zu diesem Zeitpunkt hattet Ihr doch ohnehin schon gewonnen. Ich gehe jede Wette ein, daß Dad Dich dazu angestiftet hat.

Aber genug davon.

Was tut sich in der Galerie? Ich wollte Dich dort anrufen, aber die Leitung war tot. Telefonrechnung nicht bezahlt? Ich finde immer noch, daß Du das Ganze aufstecken und statt dessen an die Uni gehen solltest. Dazu ist es noch nicht zu spät. Heutzutage gibt es viele Spätberufene. Laß Dich von Dad nicht noch zu weiteren verrückten Unternehmungen überreden. Ganz ehrlich, ich würde ihm nicht mal die Sparbüchse der kleinen Gemma anvertrauen. Er meint es ja gut, aber er hat keinen blassen Schimmer.

Und was ist das für eine Geschichte mit Mutter, die eine Konzerttournee durch Lanarkshire macht, während Dad in Hongkong auf Häusersuche ist? Oder ist das andersrum? Michael hat mir einen ziemlich lückenhaften Bericht geliefert, nachdem Dad aus einer Telefonzelle irgendwo in der Wildnis angerufen hatte. Ich habe versucht, ihn im Studio zu erreichen, aber eine junge Frau dort sagte irgendwas von Perth. Als ich sie fragte, ob sie Perth in Schottland oder in Australien meint, war sie aus irgendeinem Grund beleidigt und legte auf.

Wie wär's also mit einem Anruf von Dir – oder, noch besser, mit einem Deiner schönen, langen Briefe? Wir freuen uns alle sehr, wenn wir von Dir hören. Linda und die Kinder lassen Dich ganz herzlich grüßen. Paß auf Dich auf, Schwesterherz, und stell nicht noch mehr so verrückte Sachen an. Vater darin übertrumpfen zu wollen ist vergebliche Liebesmüh. Du bist zehnmal soviel wert wie er, nur müßtest Du das endlich mal begreifen.

Alles Liebe
*Tristram*

Anthea legte den Brief weg. Eigenlich hätte er sie in Wut versetzen müssen, aber für so eine hitzige Reaktion war sie zu niedergeschlagen. Sie seufzte und wandte ihre Aufmerksamkeit halbherzig der Straße unter ihrem Fenster zu. In der Nummer 9 gab es keine Gardinen, deshalb wurde die Aussicht durch nichts behindert.

Aus der Auffahrt von Nummer 3 auf der gegenüberliegenden Seite des Platzes kam ein dunkelgrüner Bentley. In der dumpfen Stille des frühen Nachmittags war das schon ein Ereignis. Dann schaute Anthea zur Nummer 5 hinüber. Auch dort tat sich was. Ein Mädchen im roten Wintermantel trat durch das Gartentor, zusammen mit einem anderen, vermutlich jüngeren Mädchen, das Jeans und einen hellblauen Anorak trug.

Anthea begann über die Familie nachzudenken, die dort wohnte, und ließ planlos die Gedanken schweifen. An den Mädchen war eigentlich nichts Seltsames. Sie sahen genauso aus wie andere Mädchen auch. Aber dieser Typ – Arnold oder Albert irgendwas –, der damals, als alle in der Straße den Abriß ihrer Häuser zu verhindern suchten, ihre Interessen vertrat, hatte sie davor gewarnt, die Familie in Nummer 5 zu behelligen. Er hatte gesagt, daß sie sehr zurückgezogen lebten und eine ungeheure Scheu davor hatten, mit Außenstehenden zu sprechen.

Ich werde auch zur Einsiedlerin, dachte Anthea und zuckte zusammen, als sie an Tristrams Brief dachte. Nie wieder werde ich einen Fuß vor die Tür setzen. Tristram hat recht. Ich habe mich bis auf die Knochen blamiert. Mir wird jetzt noch ganz heiß, wenn ich daran denke.

Und was das Geld anbetraf, hatte Tristram ebenfalls recht. Mit der Galerie hatte es nicht geklappt, und das ganze Geld, das Granma ihr hinterlassen hatte, war futsch. Die Galerie war Dads Idee gewesen; er hatte das für eine gute Geldanlage gehalten.

Jetzt trieb er sich in Schottland herum, suchte nach einem

Haus und drehte einen Fernsehfilm über irgendeine alte Sage. Und Mutter war mit dem Londoner Symphonieorchester in Hongkong.

Und ihre einzige Tochter hockte ohne erkennbares Lebensziel im Brocklehurst Grove, pflegte eine Erkältung und suhlte sich in Selbstmitleid. Sie hatte das Gefühl, auch den letzten Rest Energie verloren zu haben. Es hatte sie schrecklich mitgenommen, daß die Galerie pleite gegangen war und daß sich Stephen mitten in all ihren Problemen klammheimlich aus ihrem Leben verabschiedet hatte. Wieso hatte er sich überhaupt die Mühe gemacht, sie näher kennenzulernen? Warum hatte er so getan, als läge ihm etwas an ihr? Kein Wunder, daß ihre Mutter ihn als »wankelmütigen Waschlappen« bezeichnet hatte. Wäre es ihr besser gegangen, hätte Anthea eine gesunde Wut auf ihren Ex-Freund entwickelt. Aber heute konnte sie nur daran denken, daß ihr alles, was sie auch anpackte, mißlang.

Noch nicht mal das Wetter brachte Aufmunterung. Draußen war es nach tagelangem Regen zwar endlich trocken, aber immer noch trübe und kalt. Eine altmodische Dame schob einen großen, grünen Kinderwagen durch das Tor von Nummer 5. Noch eine Einsiedlerin, dachte Anthea. Arnold – oder Albert oder wie er auch heißen mochte – hatte bestimmt übertrieben. In Nummer 5 herrschte ein geschäftigeres Treiben als in allen anderen Häusern der Straße – was allerdings keine Kunst war.

Connie Witherton trat ins Zimmer und bereitete diesen Gedanken ein jähes Ende. Zur Zeit war sie außer Anthea die einzige, die hier wohnte. Zwanzig Jahre lang hatte sie an verschiedenen Orten als eine Art Haushälterin der Fryers fungiert und wurde inzwischen von allen als Familienmitglied betrachtet. Als waschechte Yorkshire-Frau nahm sie kein Blatt vor den Mund, und sie konnte mit Fug und Recht behaupten, für Anthea fast so etwas wie eine Mutter gewesen zu sein. Wenn sie das sagte, lächelte Loretta, Antheas richtige Mutter, nur zerstreut und gab ihr recht.

Anthea blickte auf, als sie Connie hereinkommen hörte. »Tristram meckert wieder mal an mir herum«, sagte sie und reichte Connie den Brief. »Und was das Schlimmste ist, diesmal hat er recht.«

»Ich finde, daß er dir gegenüber nicht fair ist, Anthea«, sagte Connie, nachdem sie den Brief gelesen hatte. »Mit welchem Recht kritisiert er dich? Er lebt mit seiner Frau und den Kindern weit weg in Cornwall. Wir hören höchstens einmal im Monat von ihm. Was du tust, geht ihn nichts an.«

Anthea machte immer noch ein unglückliches Gesicht. »Aber er hat recht, Connie«, sagte sie. »Ich mache ziemlich viel Blödsinn und lerne nichts daraus. Keinen Fettnapf lasse ich aus.«

Connie sah sie genauer an. Antheas Augen hatten rote Ränder, und um ihren Mund lag ein schmerzlicher Zug. Wer den lächelnden Blondschopf oben auf dem Dach gesehen hatte, ahnte nichts von dieser anderen Anthea. Sie hatte sich so selbstbewußt gegeben. Das war das Gesicht, das sie der Außenwelt zeigte. Aber jedes Mitglied ihrer Familie, Connie mit eingeschlossen, konnte mit einem einzigen Wort oder einer hochgezogenen Augenbraue dieses Selbstbewußtsein zunichte machen. Seit Stephen sie verlassen hatte und die Galerie schließen mußte, war sie verletzlicher denn je.

»Na komm«, sagte Connie, »der Tee ist fertig. Du gehst jetzt mit mir nach unten, und wir essen was Schönes und unterhalten uns in aller Ruhe. In letzter Zeit bist du viel zuviel allein. Du solltest dich öfter mal aufraffen und ausgehen.«

»Am Donnerstag geh ich ja aus«, verteidigte sich Anthea. »Ich gehe mit Bobby Barras ins Theater. Eine verspätete Feier zur Rettung von Brocklehurst Grove.«

»Der Typ von Nummer 11?«

»Ja«, sagte Anthea.

»Der ist doch viel zu alt für dich. Ein Witwer mit einem pubertierenden Sohn. Er muß mindestens vierzig sein.«

Anthea lachte verlegen. »Nicht ganz«, sagte sie. »Außerdem ist das nur eine ehrbare Abendeinladung. Ich will ihn ja schließlich nicht heiraten!«

»Das klingt schon besser«, sagte Connie. »Immer locker bleiben! Und jetzt laß uns runtergehen und Tee trinken.«

Die Bewohner von Brocklehurst Nummer 5 gingen an diesem Tag arglos ihren Beschäftigungen nach und ahnten nicht, daß sie beobachtet wurden.

Pilbeam und Appleby beschlossen, einen Einkaufsbummel zu machen.

»Ich brauche eine neue Brille«, sagte Pilbeam. »Eine dunkle, die man aber auch in geschlossenen Räumen tragen kann, ohne aufzufallen. Ein schwarzes Gestell mit getönten Gläsern müßte eigentlich schon reichen. Du kannst ja mal bei Mr. Sutton reinschauen und dich erkundigen, was er im Angebot hat. Wenn das nicht klappt, gehen wir zu *Boots*, und du kannst mir helfen, was Passendes auszusuchen.«

Die feste, liebevolle Freundschaft, die sich zwischen den Schwestern entwickelt hatte, war etwas strapaziert worden, seit Pilbeam sich einen neuen Haarschnitt zugelegt und ihr Alter um zwei bedeutsame Jahre aufgestockt hatte.

»Es paßt mir nicht, daß du erwachsen bist«, sagte Appleby. »So ein bescheuerter Einfall. Jetzt ist es vorbei mit dem Spaß. Du bist zu alt dazu. Bald wirst du anfangen, mir Vorschriften zu machen, wie die andern alle.«

»*So* viel älter bin ich nun auch wieder nicht«, protestierte Pilbeam. »Ich *bin* erwachsen, so erwachsen, wie ich es jemals werden kann. Und trotzdem macht es keinen großen Unterschied.«

Aber Pilbeam hatte bereits damit angefangen, alle möglichen nervtötenden Dinge zu tun. Sie half Vinetta im Haushalt und trug ihren Teil dazu bei, in den Schränken Ordnung zu schaffen. Sie tippte die Manuskripte von Sir Magnus auf der Schreibmaschine und dachte sich für ihn sogar ein echtes Ablagesystem

– alphabetisch natürlich – aus. Das Schlimmste war, daß sie dazu überging, Röcke statt Jeans zu tragen. Vinetta hatte ihr gerade erst einen todschicken roten Mantel mit Gürtel und pelzbesetzter Kapuze gekauft. Er war für den Theaterbesuch gedacht, aber Pilbeam wollte ihn schon vorher ausführen.

»Ich ziehe heute meinen neuen Mantel an«, sagte sie. »Dann komme ich mir nicht mehr komisch vor, wenn ich damit ins Theater gehe.«

Appleby verzog das Gesicht.

»Ich versteh nicht, was du dort willst«, sagte sie. »Das wird sterbenslangweilig. Von mir aus könnte man Shakespeare auf den Mond schießen. In ein Pop-Konzert wär ich mitgekommen. Aber Shakespeare! Da kriegen mich keine zehn Pferde hin, selbst wenn du mich auf Knien darum bitten würdest.«

»Ich bitte dich ja gar nicht«, sagte Pilbeam. »Es wär mir auch gar nicht recht, wenn du mitkämst. Das meine ich jetzt nicht gehässig. Du würdest mir bloß den Abend verderben, wenn du mit gelangweiltem Gesicht dasitzt und keinen Spaß hast. Wir können ja zusammen ins nächste Pop-Konzert gehen. Davon haben wir beide was.«

Das war zwar gut gemeint und freundlich vorgebracht, aber Appleby gab es den Rest.

»Red nicht so herablassend mit mir, Pilbeam«, fauchte sie. »Schließlich bin ich nicht auf dich angewiesen, wenn ich irgendwo hingehen will. Ich hab mich schon ins Kino geschlichen und ab und zu sogar in die Disko, bevor du überhaupt ...«

Ihre Stimme brach ab, als ihr bewußt wurde, was ihr um ein Haar herausgerutscht wäre. Erschrockenes Schweigen trat ein. Die Anspielung auf Pilbeams lange, leblose Jahre in einer Truhe auf dem Dachboden war wirklich grausam. Dieser Abschnitt aus Pilbeams Leben war bekannt, wurde aber nur selten erwähnt. Andere Erinnerungen hatten ihn überlagert und fast – aber nicht ganz – ausgelöscht.

Pilbeam schlang den Gürtel um die Taille des neuen Mantels und betrachtete sich im Flurspiegel. Sie war tief gekränkt, versuchte aber, sich nichts anmerken zu lassen.

»Bist du soweit?« fragte sie Appleby.

»Ja«, sagte ihre Schwester so kleinlaut, daß sie kaum zu hören war.

Es wurde ein unerfreulicher Ausflug. Pilbeam fühlte sich in ihrem neuen Mantel unsicher und befangen. Appleby kam sich in ihrem alten Anorak schäbig vor. Aber das Unbehagen ging tiefer. Die Kleidung war nur das äußere Zeichen für eine innere Wahrheit.

»Es *hat* sich was verändert, Pilbeam«, sagte Appleby, als sie am späten Nachmittag nach Hause stapften und zum Schutz vor dem Regen, der inzwischen eingesetzt hatte, die Schirme aufspannten. »Da kannst du sagen, was du willst. Es wird nie mehr so werden wir früher.«

Pilbeam sah die Schwester teilnahmsvoll an.

»Vielleicht hast du ja recht«, sagte sie. »Aber das heißt nicht, daß es schlimmer werden muß. Ich kann nichts dafür, daß ich erwachsen geworden bin. Es ist einfach so gekommen.«

# 3

# Ins Theater

Joshuas Weg zu seinem Arbeitsplatz führte ihn abseits der Hauptstraße drei Meilen durch verschwiegene kleine Gassen. Jeden Abend hastete er dort entlang, den Kopf tief im Mantelkragen verborgen oder vielleicht sogar von einer Kapuze bedeckt. Dabei sah er niemanden direkt an, nahm aber in Sicht- und Hörweite alles und jeden wahr. Er war so schnell, leise und vorsichtig wie ein Soldat in feindlichem Gelände.

»Du mußt Pilbeam ins Theater bringen«, sagte Vinetta. »Es liegt auf deinem Weg zur Arbeit, und sogar die Zeit kommt hin.«

Sie saßen in der Küche. Es war spät am Nachmittag, und sie taten so, als ob sie Tee trinken würden. Joshua schaute über den Tassenrand, sagte aber nichts. Vinetta kannte diesen Blick.

»Jemand muß sie hinbringen«, sagte sie. »So spät kann ich sie nicht allein losziehen lassen.«

»Sie sagt, sie ist jetzt achtzehn«, sagte Joshua widerborstig. »Sie ist daran gewöhnt, allein auszugehen. Sie wird mit mir nicht durch die Seitengassen gehen wollen, und ich gehe auf keinen Fall die Hauptstraße entlang. Ich weiß, wo ich mich sicher fühlen kann und wo nicht.«

»Es geht nicht darum, was Pilbeam will oder nicht will«, sagte Vinetta lächelnd, aber unnachgiebig. »Und es geht auch nicht darum, was du tun wirst oder nicht. Sie geht nicht allein. Du bringst sie hin, Josh. Mein Entschluß steht fest.«

»Und wer soll sie wieder abholen?« fragte Joshua. »Dann ist es noch viel später. Und ich stehe als Begleitung nicht zur Verfügung, da habe ich Dienst.«

»Das habe ich schon bedacht«, sagte Vinetta. »Soobie geht schließlich zu allen möglichen Zeiten joggen. Er kann heute mal die Hauptstraße entlangjoggen, wenn Pilbeam aus dem Theater kommt.«

Joshua wollte noch etwas sagen, ließ es dann aber sein. Es hatte keinen Sinn, Vinetta zu widersprechen, wenn sie erst mal einen Entschluß gefaßt hatte. Ihm wäre es sehr viel lieber gewesen, wenn Pilbeam gar nicht ins Theater gehen würde. Er hielt das für ein äußerst riskantes Unternehmen. Und man hätte es ihm womöglich als Einverständnis auslegen können, wenn er weniger mürrisch auf den von ihm geforderten Begleitservice reagiert hätte!

Sir Magnus brachte seine Mißbilligung unverhohlener zum Ausdruck.

»Ein solcher Unfug«, sagte er, als Tulip ihm davon erzählte. »Was will sie dort? Als ob wir nicht schon genug Probleme gehabt hätten! Will sie sich vielleicht wieder einen jungen Mann anlachen? Bei Appleby mußten wir uns nie mit solchen Dingen herumschlagen.«

Tulip setzte eine strenge Miene auf.

»Das ist ungerecht, Magnus«, sagte sie. »Pilbeam hat Albert sehr gern gehabt. Sie haben einander gut gekannt. Als er fortmußte, ging ihr das sehr nahe, aber sie hat sich ins Unvermeidliche gefügt. Sie geht doch nicht ins Theater, um sich Ärger einzuhandeln. Unsere Enkelkinder haben das Recht auf ein wenig Freiheit. Du kennst doch Pilbeam. Sie wird sehr vorsichtig sein.«

»Mag ja sein, daß sie vorsichtig ist«, sagte Magnus, »aber selbst wenn sie nicht auf Ärger aus ist, kann der Ärger sie einholen.«

Er lehnte sich im Bett nach vorn, so daß sein lila Fuß, der vorwitzig unter der Bettdecke hervorragte, den Boden berührte. Das Neueste an ihm waren seine schwarzen Knopfaugen. Sie vermittelten den Eindruck eines lebhaften Geistes, während sein weißer Walroßschnauzbart und die buschigen Augenbrauen ihn eher noch älter wirken ließen als die siebzig Jahre, die er tatsächlich auf dem Buckel hatte.

Nur selten, zu ganz besonderen Anlässen, verließ Sir Magnus das Bett. Die Reise aufs Land, die sie im vergangenen Jahr gezwungenermaßen unternommen hatten, war ein traumatisches Erlebnis gewesen. Er hatte es als etwas ganz Schreckliches empfunden, daß Albert Pond, ein Mensch aus echtem Fleisch und Blut, in ihr Leben eingedrungen war; da konnte die restliche Familie sagen, was sie wollte.

Sir Magnus war Wissenschaftler. Die Redakteure der Fachzeitschriften, in denen er Artikel veröffentlichte, sahen in deren Verfasser nichts anderes als einen vornehmen, gebildeten Herrn. In den letzten vierzig Jahren hatte das So-tun-als-ob ausgeprägte Formen angenommen. Wahrscheinlich wußte Sir Magnus Mennym, Magister Artium der Universität Oxford, über die Anhänger der Parlamentspartei und die Royalisten im siebzehnten Jahrhundert so gut Bescheid wie kaum einer in der englischsprachigen Welt. Sein akademischer Grad, ein So-tun-als-ob-Titel, der ihm von Kate verliehen worden war, basierte auf sehr fundierten Kenntnissen. Und doch waren die Ereignisse der vergangenen Jahre nicht spurlos an ihm vorübergegangen. Die Zeit, so hatte er erkannt, ließ sich nicht ewig anhalten. Er fürchtete sich vor dem, was kommen würde, und seine Angst davor war so groß, daß sie schon paranoide Züge annahm.

Tulip kannte ihn. Sie hoffte, daß es ihr gelingen würde, den nervösen Zustand ihres Mannes Schritt für Schritt zu mildern. Pilbeams Theaterbesuch konnte dafür vielleicht sogar dienlich sein. Siehst du, Magnus, könnte Tulip dann sagen, Pilbeam ist ins Theater gegangen, und die Welt geht deswegen nicht unter.

Als der Donnerstagabend kam, verlangte Tulip von Pilbeam,

daß sie sich vor dem Aufbruch ihrem Großvater zeigte. Vorher hatte sie ihn zur Freundlichkeit ermahnt und sich dabei auf die Perle der Weisheit berufen, die da lautet, daß man zu dem, was man nicht ändern kann, gute Miene machen muß. Auch Vinetta kam, um ihre Tochter nötigenfalls in Schutz zu nehmen.

Pilbeam baute sich mitten im Zimmer auf. Sie wußte, wie gut sie aussah, und war richtig zufrieden mit sich. Den Bindegürtel, der zu ihrem roten Mantel gehörte, hatte sie durch einen breiten schwarzen Ledergürtel mit Schnalle ersetzt. Sie trug die Brille, die Appleby im Laden von Mr. Sutton für sie ausgesucht hatte – große, getönte Gläser aus Fensterglas in einer schmalen, schwarzen Fassung. Dabei handelte es sich keineswegs um billige Ausschußware, aber Tulip hatte ohne Murren das Geld dafür hingeblättert. Vervollständigt wurde Pilbeams Aufzug durch schwarze Glacéhandschuhe und modische, kniehohe Stiefel, die farblich genau zum Gürtel paßten. Sie hatte eine Ausstrahlung, die an jedem beliebigen Ort die Blicke aller auf sie gelenkt hätte.

»Wunderbar siehst du aus«, sagte Granpa. »Ich bin stolz auf dich.« Dann holte er seinen Geldbeutel unter dem Kissen hervor und gab Pilbeam einen Schein.

»Für dein Programmheft«, sagte er. »Und ein Taxi.«

In der Familie hatte noch niemand irgendein öffentliches Verkehrsmittel benutzt. Das galt als zu gewagt und gefährlich.

»Ich kann kein Taxi nehmen, Granpa«, sagte Pilbeam. »Ich werde einfach zu Fuß gehen. So weit ist es ja nicht.«

»Ein Taxi wäre aber sicherer. Ich bin nicht damit einverstanden, daß du um diese Zeit draußen herumläufst. Und es ist ja auch nicht so wie in einem Bus oder in der Bahn. Du sitzt allein hinten im Wagen. Der Fahrer ist vorn. Und es ist dunkel. Das Risiko ist verschwindend klein.«

Vinetta dachte an dieses verschwindend kleine Risiko und sagte: »Kein Risiko ist mir lieber.«

Sie erzählte Sir Magnus von den Vorkehrungen, die sie zu Pilbeams Begleitung getroffen hatte.

»Da hast du wohl recht«, sagte Granpa nachdenklich, der sich der Risiken noch sehr viel bewußter war als Vinetta. »Ja. Du *hast* recht. Vorsicht ist die Mutter der Weisheit.«

Er wandte sich an Pilbeam und sagte: »Du bist dir ganz sicher, daß du wirklich dort hinwillst? Hast du die Gefahren bedacht?«

»Ja«, sagte Pilbeam und sah Granpa mit einem Blick an, der ihn davon abhielt, noch mehr zu sagen.

Sie wollte ihm das Geld zurückgeben, weil es jetzt ja beschlossene Sache war, daß sie nicht mit dem Taxi fahren würde.

»Behalt es nur«, sagte Granpa. »Du kannst damit machen, was du willst. Aber ich würde gern einen Blick in das Programm werfen. In meiner Jugend hatte ich viel Freude an Theateraufführungen. So ein Programmheft würde mir schöne Stunden ins Gedächtnis zurückrufen.«

Alle wußten, wie viel und wie wenig das bedeutete. Sir Magnus hatte sich diese Worte nur mit Mühe abgerungen. Im Grunde mißbilligte er diesen Ausflug so sehr, daß er ihn am liebsten verboten hätte. Jetzt, wo er sich ins Unvermeidliche fügen mußte, war es ihm wichtig, dieses Ereignis zu ummanteln, es mit einer Schutzschicht aus So-tun-als-ob zu versehen.

Als sie die Treppe hinunterkamen, stand Joshua bereits im Flur und wurde langsam ungeduldig.

»Es wird Zeit, daß wir fortkommen«, sagte er. »Hast du deine Karte?«

»Ja«, sagte Pilbeam.

Forschen Schritts brachen Vater und Tochter in die Dunkelheit auf. Nachdem sie Brocklehurst Grove hinter sich gelassen hatten, bog Joshua in die erste Nebenstraße ein. Diese Route verlängerte ihren Weg um mindestens zehn Minuten, aber das war sein gewohnter Weg zur Arbeit, und er hatte nicht die Absicht, davon abzuweichen.

Pilbeam fühlte sich alles andere als behaglich, als sie durch schlecht beleuchtete Gassen lief und sich beeilen mußte, um mit ihrem Vater Schritt zu halten. Sie befürchtete ständig, ihr Absatz könnte sich in dem holperigen Pflaster verfangen. Es war, als wäre sie wieder ein Kind, eine Fünfjährige, die neben ihrem Vater hertrabt. Eine eingebaute Erinnerung, diese albernen eingebauten Erinnerungen!

Jetzt kam sie sich gar nicht mehr elegant vor. Außerdem machte sie sich Sorgen, sie könnte die Abzweigung zum Theater verpassen. Aber als sie schließlich zur Kyd Street kamen, blieb Joshua unvermittelt stehen und schaute in die enge, unbeleuchtete Gasse hinein.

»Da lang«, sagte er.

Am anderen Ende der Gasse konnten sie eine breite, hell erleuchtete Straße ausmachen.

»Ich bring dich noch bis zur nächsten Ecke«, sagte Joshua. »Aber dann muß ich einen Zahn zulegen, sonst komme ich zu spät zur Arbeit.«

»Nicht nötig«, sagte Pilbeam. »Wir verabschieden uns gleich hier. Den restlichen Weg kann ich alleine gehen.«

»*Hier* durch?« sagte Joshua und betrachtete die düstere Gasse, die nicht viel mehr war als ein Durchgang. »Kommt nicht in Frage! Deine Mutter würde vor Wut schäumen, wenn ich dich hier allein entlanggehen ließe. Komm schon. Ein bißchen schneller.«

Gemeinsam durchquerten sie die Gasse, gingen mit raschen Schritten über rauhes Kopfsteinpflaster. Sie kamen an der Rückwand eines Restaurants vorbei und dann an einer verschlossenen, zweiflügeligen Tür, einem Seiteneingang des Theaters. An der Ecke schlugen ihnen plötzlich Licht und Leben entgegen. Die Straßenbeleuchtung wurde von Lampen verstärkt, die auf schmiedeeisernen Ständern an den Säulen des großen Theaterportals befestigt waren. Leute gingen in kleinen Gruppen hinein. Es herrschte geschäftiges Treiben.

»Jetzt kommst du allein zurecht. Sprich mit niemandem, und wenn du wieder rauskommst, warte auf jeden Fall auf Soobie«, sagte Joshua, während er wieder in die Dunkelheit der Gasse eintauchte und sich eilig auf den Weg zur Arbeit machte. Genau wie seinem Vater machte ihm Pilbeams kühner Eintritt ins öffentliche Leben große Sorgen. Sein barsches Gehabe war seine Art, Besorgnis zu zeigen – die einzige, die ihm zur Verfügung stand.

Pilbeam, die bei den Vorbereitungen so tapfer gewesen war, so entschlossen, ihrem Leben diese zusätzliche Dimension zu verleihen, betrachtete die Menschenmenge und wurde nervös. Sie kam sich auf einmal dumm und fehl am Platz vor. Wie im Traum betrat sie das Foyer, schritt über den mit Teppichen ausgelegten Boden, kam an dem farbenfrohen Verkaufsstand vorbei und ging durch die Tür, die ins Parkett führte. Eine mit einem Overall bekleidete junge Frau, die in einer Ecke der gedämpft beleuchteten Eingangshalle stand, nahm Pilbeams Karte, riß sie entzwei, fädelte die eine Hälfte auf einer Schnur auf und gab ihr das Reststück.

»Nach links«, sagte die Frau, ohne Pilbeam dabei anzusehen.

»Vielen Dank«, sagte Pilbeam und lief eilig die Rampe hinunter, in den Zuschauerraum. Sie kaufte ein Programm und rutschte auf ihren Platz. Das Schlimmste war vorbei. Jetzt konnte sie sich hinter dem Programm verstecken, bis das Licht ausging.

Bobby Barras und Anthea Fryer hatten Plätze im ersten Rang. Sie betraten direkt hinter Pilbeam die Eingangshalle. Anthea zupfte Bobby am Ärmel.

»Das ist unsere Nachbarin, da bin ich mir ganz sicher«, sagte sie.

»Wer?« fragte Bobby.

»Das Mädchen dort – im roten Mantel. Ich hab neulich gesehen, wie sie aus Nummer 5 gekommen ist.«

»Sie sieht gar nicht wie eine Einsiedlerin aus«, sagte Bobby.

»Du hast dich bestimmt geirrt.« Er hatte schon in aller Ausführlichkeit von den geheimnisvollen Bewohnern der Nummer 5 gehört, die unter keinen Umständen behelligt werden durften. Damals, als sie alle an einem Strang zogen, um Brocklehurst Grove zu retten, hatte Albert Pond Anthea eine höchst überzeugende Geschichte von seinen »Cousins und Cousinen« aufgetischt, die eine krankhafte Angst vor der Außenwelt hätten. Das kam der Wahrheit immerhin sehr nahe. Daß ihre Angst auf etwas ganz anderem als einer kollektiven Neurose beruhte, konnte natürlich niemand ahnen.

»Allmählich glaube ich, daß dieser Verwandte Schauermärchen erzählt hat, aus welchen Gründen auch immer«, sagte Anthea. »Ich habe die Nummer 5 beobachtet. Die Bewohner kommen und gehen wie alle anderen auch. Und ich bin mir ganz sicher, daß sie es ist. Diese langen, schwarzen Haare, ihre Haltung und der Gang – das ist alles sehr charakteristisch. Ich komme mir dagegen wie ein Trampel vor.«

Anthea nahm Bobby gegenüber kein Blatt vor den Mund. Für ihn war ihre Offenheit eine ihrer anziehendsten Eigenschaften. Sie waren gute Freunde geworden, und Anthea konnte mit ihm genauso unbefangen reden wie mit den Mitgliedern ihrer Familie. Das war eine erfreuliche Abwechslung. Im persönlichen Kontakt war sie Fremden gegenüber oft gehemmt, zerbrach sich zu sehr den Kopf darüber, was diese von ihr hielten. Es fiel ihr viel leichter, vor einer großen Menge zu reden, als gemütlich mit einem einzelnen Menschen zu plaudern. Und ihr selbstsicheres Auftreten in der Außenwelt war vielleicht nur eine Folge ihrer Unfähigkeit, sich gegen ihre Eltern oder selbst Connie aufzulehnen. Die öffentliche und die private Anthea waren zwei sehr unterschiedliche Menschen.

Pilbeam verschwand im Parkett. Ihre Nachbarn aus dem Brocklehurst Grove stiegen die gewundene Treppe zum ersten Rang hinauf. Ihre Plätze waren ziemlich weit vorne. Als sie sich gesetzt hatten, nahm Anthea ihr Opernglas und begann, sich das Publikum anzuschauen.

»Da ist sie«, sagte sie. »Ich bin mir sicher, daß sie es ist. Sie sitzt am Rand, in der Nähe vom Hauptausgang. Schau doch mal.«

Bobby fand das nicht weiter interessant, aber er lächelte Anthea zu, warf einen kurzen Blick durch das Opernglas und gab es zurück.

Die Lichter gingen aus, der Vorhang hob sich, und die Vorstellung begann.

# 4
# Ein knappes Entkommen

Pilbeam war von allem hingerissen – von der Bühnenbe-
leuchtung bis hin zur Wärme des gebannt lauschenden Pu-
blikums, das damit aufhörte, ungemein gebildet und großspu-
rig zu tun (als ob sie alle von morgens bis abends immer nur
Shakespeare lesen würden und die besten Aufführungen in
Stratford samt und sonders gesehen hätten), und von dem Stück
wirklich gefesselt wurde. Appleby hätte doch mitkommen sollen. Selbst sie wäre begeistert gewesen.

Pilbeam litt mit Shylock. Der arme Mann! Verachtet und verschmäht, von seiner eigenen Tochter bestohlen und verraten und
so weit in den Wahnsinn getrieben, daß er einem anderen Menschen nach dem Leben trachtete ... Die Außenseiterin erkannte
den Außenseiter. Als Jessica ihrem Vater fortlief, dachte Pilbeam
an Vinetta, die sich bei Applebys Eskapaden halb zu Tode gesorgt hatte. Und was hieß es schon, wenn Shylocks Interesse sich
mehr auf die verschwundenen Juwelen und das Geld zu richten
schien ... War das nicht genau wie bei Sir Magnus, der seine
wahren Gefühle unter anderen, weniger schmerzlichen verbarg?
Mit Zorn läßt sich Trauer gut überdecken.

In der Pause wagte es Pilbeam, ihr Programm beiseite zu legen. Der Mann neben ihr widmete sich aufmerksam seiner red-
seligen Frau. Pilbeam sah sich im Zuschauerraum um und
schnappte erschrocken nach Luft, als sie vier, fünf Reihen vor

sich, ein Stück nach rechts, ein Profil entdeckte, das sie kannte: ein junger Mann, der sich mit einem Mädchen mit langen, dunklen Haaren unterhielt. In einer Provinzstadt, die nur über ein einziges großes Theater verfügte und in der die Royal Shakespeare Company einmal im Jahr ein kurzes Gastspiel gab, war ein solcher Zufall nicht allzu verwunderlich. Ein letztes Mal bekam Pilbeam Albert Pond zu Gesicht, ihre große Liebe. Sie hatte nicht damit gerechnet, ihn jemals wiederzusehen. Er hatte eine Freundin. Pilbeam, die ihn noch immer liebte, freute sich darüber.

Als der letzte Vorhang fiel, zog sich Pilbeam als allererstes ihre pelzbesetzte Kapuze über den Kopf. Das war eine unnötige Vorsichtsmaßnahme, aber Pilbeam war noch nie auf so engem Raum mit so vielen Menschen zusammengewesen. Mit schnellen Schritten verließ sie den Zuschauerraum. Dann ging sie die Rampe hinauf und durch die Eingangstür auf die Straße, befand sich aber immer noch unter dem hell erleuchteten Portal des Theaters. Sie sah zur Kyd Street hinüber und rechnete damit, Soobie dort im Dunkel der Gasse zu entdecken. Er war aber nicht da.

Bobby und Anthea kamen aus dem Theater und gingen zu der Stelle, wo sie ihren Wagen geparkt hatten.

Anthea entdeckte die unverwechselbare Gestalt im roten Mantel. »Da ist sie«, sagte sie. »Wahrscheinlich versucht sie, ein Taxi zu erwischen.«

Pilbeam sah sich unbehaglich um. Sie war unsicher, ob sie sich allein auf den Heimweg machen sollte. Aber Soobie konnte entweder durch die Kyd Street kommen oder die Hauptstraße entlangjoggen. Sie könnten sich verpassen. Wenn Soobie eintraf und sie nicht vorfand, würde er sich Sorgen machen. Appleby wäre in einer solchen Situation unbekümmert davonspaziert und hätte sich gedacht, daß es Soobie ganz recht geschähe, weil er sich verspätet hatte. Pilbeam war viel zu rücksichtsvoll, um so etwas auch nur zu denken.

»Komm, wir fragen sie, ob sie mitfahren will«, sagte Anthea. »Nein sagen kann sie ja immer noch. Aber ein freundliches Angebot wird doch wohl erlaubt sein.«

Bevor Bobby sie zurückhalten konnte, marschierte sie über den Bürgersteig auf das Mädchen im roten Mantel zu.

Pilbeam stand der Gasse zugewandt und überlegte immer noch, was sie tun sollte. Sie hatte keine Ahnung, daß sie bemerkt worden war, aber als sie hinter sich eine Stimme sagen hörte: »Wir fahren in Ihre Richtung, können wir Sie vielleicht mitnehmen?«, wußte sie sofort, daß es sich um jemand aus der Nachbarschaft handeln mußte. Sie befand sich in höchster Gefahr. Was um alles in der Welt sollte sie nur tun?

In diesem Augenblick kam Soobie aus der dunklen Gasse und erfaßte die Situation mit einem Blick.

Die blonde Frau, die gerade im Begriff war, seiner Schwester auf die Schulter zu tippen, mußte die Nachbarin sein, die sich für die Rettung von Brocklehurst Grove so ins Zeug gelegt hatte. Den Kopf wie ein Rugbyspieler gesenkt, kam Soobie angeschossen, packte Pilbeam am Arm und zog sie ins Dunkel der Gasse.

»Lauf!« sagte er. »Lauf, so schnell du kannst!«

Sie rannten über das Kopfsteinpflaster der schmalen Gasse und verschwanden außer Sichtweite.

Anthea konnte es nicht fassen, daß man sie einfach so stehen ließ. Einsiedler hin oder her – wie konnte man nur so grauenhafte Manieren haben?

Bobby trat an ihre Seite. »Vielleicht hat sie dich nicht gehört«, sagte er.

»Sie hat mich sehr wohl gehört«, sagte Anthea. »Der Typ, der sie weggezogen hat, muß ihr Bruder gewesen sein. Ich glaube, ich habe seinen Trainingsanzug erkannt. Das ist auch so ein Spinner. Ich hab ihn schon um Mitternacht joggen gesehen, aber niemals tagsüber.«

»Jaja, die neugierigen Nachbarn!« sagte Bobby lachend, während sie ins Auto einstiegen.

»Ich nehme eben Anteil an meinen Mitmenschen«, sagte Anthea etwas kühl. »Rein aus Interesse.«

Die Heimfahrt verlief dennoch nicht schweigend. Anthea war gar nicht in der Lage dazu, längere Zeit kühl und abweisend zu sein. Der Abend endete, wie er begonnen hatte – in Freundschaft. Und als Bobby eine weitere Unternehmung vorschlug, lehnte Anthea nicht ab.

»Meinst du nicht, wir könnten jetzt langsamer gehen?« fragte Pilbeam, als sie am Ende der Kyd Street um die Ecke bogen. »Ich mußte schon den ganzen Hinweg im Laufschritt zurücklegen, da möchte ich nicht auch noch auf dem Heimweg joggen. Das trägt nicht gerade zu meinem Erscheinungsbild bei!«

Soobie verlangsamte seinen Schritt.

»Hat dir das Stück gefallen?« fragte er.

»Es war wunderbar«, sagte Pilbeam. »Wir haben in unserem Leben zu wenige Dinge, die *jetzt* passieren. Aber ich glaube, ich hätte zu große Angst, so etwas noch mal zu unternehmen.«

»Wegen der Nachbarn?« fragte Soobie. »Das kann ich gut verstehen. Es war diese Anthea Fryer. Mir scheint, das ist so eine, die überall ihre Nase reinsteckt. Sie könnte gefährlich werden.«

Pilbeam gab ihm recht. Sie erwähnte nichts davon, daß sie Albert gesehen hatte.

# 5
# Eine Familienkonferenz

W ir dürfen das Unheil nicht auch noch selbst heraufbeschwören«, sagte Sir Magnus und sah sich mit ernster Miene in der Runde der versammelten Familie um. Bis auf Googles waren alle da. Seit vielen Monaten fand zum erstenmal wieder eine solche Versammlung in Granpas Zimmer statt. Sir Magnus hatte die Konferenz für den Samstag nach Pilbeams Theaterbesuch einberufen. Sie hatte ihm von der Aufführung erzählt, ihm das Programm gegeben und erklärt, warum sie nie wieder ins Theater gehen könne. Wegen Anthea Fryer. Der herrischen Blondine aus der Nummer 9.

Granpa hatte den Vorfall sehr viel ernster genommen, als Pilbeam erwartet hatte. Er wurde zur Familienangelegenheit erklärt, und die Versammlung wurde für Samstag einberufen, damit auch Joshua daran teilnehmen konnte. Um sieben Uhr, als alle um sein Bett versammelt waren, stürzte sich Sir Magnus sofort in eine lange Erklärung über diese große, wenn auch heimtückisch schleichende Bedrohung für die Familie. Er saß kerzengerade aufrecht, ungestützt von seinen vielen Kissen, und beugte sich so weit vor, daß sein lila Fuß, der sonst immer über die Bettkante baumelte, tatsächlich den Boden berührte.

»Diese Anthea Fryer«, sagte er, »bedeutet eine ebenso große Gefahr wie die Stadtplaner, die unsere Straße abreißen wollten;

vielleicht sogar eine noch größere. Stadtplaner sind nicht an Menschen interessiert. Diese junge Frau schon.«

Tulip versuchte, den allgemeinen Ängsten entgegenzuwirken. »Ich finde, du übertreibst, Magnus«, sagte sie. »Wir werden sie ignorieren, wie wir es bisher auch getan haben. Sie wohnt seit ungefähr fünf Jahren hier in der Straße, schätze ich.«

»Vier Jahre und sieben Monate«, sagte Soobie, der die Daten, wann jemand in der Nachbarschaft ein- und auszog, immer genau im Kopf hatte. Von seinem Platz am Wohnzimmerfenster aus hatte er einen wunderbaren Ausblick auf jeden Möbelwagen und seinen Inhalt. Die Fryers waren in dieser Hinsicht besonders auffällig gewesen, weil ein zweiter Spezialwagen einen Flügel gebracht hatte.

Tulip warf Soobie einen ungeduldigen Blick zu und fuhr fort. »Diese Frau«, sagte sie, »kann jeden Augenblick wieder wegziehen. Sie und ihre Familie werden hier nur ein vorübergehendes Gastspiel geben, so wie andere auch. Bei der Rettung von Brocklehurst Grove ging es ihr wohl hauptsächlich darum, den Marktwert ihres Hauses zu bewahren. Das mache ich ihr nicht zum Vorwurf, aber ihr könnt mir glauben, daß es darauf hinauslaufen wird.«

»Wir reden jetzt aber vom Hier und Heute«, sagte Magnus verächtlich. »Über die nächste Woche, nicht über irgendeine hypothetische Zukunft. Es ist durchaus damit zu rechnen, daß Pilbeam beim nächsten Mal, wenn sie das Haus verläßt, von Miss Fryer angesprochen wird. Was dann? Die Frau kennt uns möglicherweise alle vom Sehen, jeden von uns, der auf die Straße hinauszugehen pflegt, zu welchem Zweck auch immer. Sie *ist* gefährlich.«

Miss Quigley machte ein selbstgefälliges Gesicht.

»Mich wird sie nicht kennen«, sagte sie, »noch nicht mal von weitem. Ich habe das Talent, mit dem Hintergrund zu verschmelzen und nicht im geringsten aufzufallen. Das kommt davon, wenn man völlig unbedeutend ist.«

In Miss Quigleys sanftmütig vorgetragenen Aussagen lag immer eine gewisse Bissigkeit. Soobie war der einzige, der ihren trockenen Humor erkennen und schätzen konnte.

»Das könnte nützlich sein«, sagte Sir Magnus und schaute der Kinderfrau zum erstenmal seit langer Zeit direkt an. »Es ist eine Überlegung wert. Wir werden Sie vielleicht brauchen. Wir *werden* Sie brauchen.«

Die anderen schauten verständnislos drein.

»Wie ich die Dinge sehe«, fuhr Sir Magnus fort und wandte sich jetzt wieder an alle, »müssen wir ein, zwei Monate lang alle im Haus bleiben, bis Miss Fryer jegliches Interesse an den Bewohnern von Nummer 5 verloren hat.«

»Im Haus bleiben!« sagte Appley. »Einen *Monat* oder noch länger? Du machst wohl Witze! Für dich ist das einfach, Granpa. Du bist seit Weihnachten nicht mehr aus deinem Bett aufgestanden, und selbst das war ein größeres Ereignis. Ich bleibe jedenfalls nicht tagelang im Haus, eingepfercht auf engstem Raum. Ich gehe raus. Ich schau mich um. Ich kaufe Sachen. Darum geht es im Leben nämlich.«

Sie war so energisch, wie man es von ihr kannte, unverblümt und entschlossen, aber diesmal konnte sie gegen ihren Großvater nichts ausrichten. Seine schwarzen Knopfaugen funkelten sie an.

»Du tust, was man dir sagt, junge Dame, sonst findest du dich womöglich im Trockenschrank wieder. *Dort* ist man wirklich eingepfercht. Weißt du noch?«

Appleby kochte vor Wut, sagte aber nichts mehr.

»Ich würde damit zurechtkommen, nicht mehr aus dem Haus zu gehen«, sagte Tulip. »Aber es gibt Probleme, wenn ich nicht mehr ins Wollgeschäft kann. Du weißt doch, Magnus, ich brauche die Wolle für meine Arbeit.«

Das Wollgeschäft war der einzige Ort, zu dem Tulip jemals ging. Das kam nicht häufig vor, und sie hatte immer das Gefühl von etwas Besonderem, wenn sie ihre karierte Schürze ablegte und sich zum Ausgehen fertigmachte. Dann zog sie ihren einzigen Ausgehmantel an, dunkelgrau, im enganliegenden Prinzeßstil, mit silbernem Pelzkragen und einem dekorativen Gürtel im Rücken. Auf dem Kopf trug sie einen dazu passenden Filzhut mit Schleier, den sie tief in die Stirn zog. Die Kleidung war altmodisch, erfüllte aber ihren Zweck. Die Frau, die darin steckte, ließ sich nicht erkennen, war aber offensichtlich eine Dame.

»Was ist mit der Post?« fragte Appleby, die den Gedankensprung von Grannys Wolle zu Granpas Manuskripten machte.

»Ich bringe doch immer deine Briefe zur Post. Das muß sein.«

»Und was ist mit dem Markt?« sagte Vinetta. »Es gibt immer irgendwelche Dinge, die wir vom Markt brauchen – Glühbirnen, Zwirn, alles mögliche. Es wäre unmöglich für mich, wochenlang zu Hause zu bleiben.«

»Und ich«, sagte Miss Quigley, »muß Googles in den Park bringen.«

Magnus ließ sie reden. Erwartungsvoll sah er seinen Sohn an. Der fing den Blick auf und antwortete auf seine mürrische Art.

»Ich gehe zur Arbeit«, sagte er. »Und dabei bleibt es. Am Abend geh ich weg. Früh am Morgen komme ich zurück. Mir ist noch keiner über den Weg gelaufen.«

»Das ist ein Argument«, räumte sein Vater ein.

»Ich gehe joggen«, sagte Soobie, »aber erst nach Einbruch der Dunkelheit.«

Das war ein neues Vergnügen für den blauen Mennym, und er war nicht bereit, ohne weiteres darauf zu verzichten.

Magnus bedachte die Situation. Dabei schöpfte er aus seinen Erinnerungen an die Königliche Marine, der er zu Kriegszeiten angehört hatte. Damals waren Kampfstrategien lebensnotwendig gewesen.

Brocklehurst Grove umschloß von drei Seiten einen Platz mit einer Grünanlage, in deren Mitte die Statue von Matthew James Brocklehurst stand. Aus den Fenstern im ersten Stock konnten die Mennyms rechts drüben die Nummer 1 am Ende der Straße sehen. Dort wohnte Bobby Barras, Feuerwehrhauptmann und Freund von Anthea Fryer. Nach links, gegen das andere Ende hin, war die Nummer 9, in der die gefürchtete Anthea zu Hause war. Zur Nummer 5 gab es keinen Eingang von der Rückseite. Wo der Garten endete, schloß sich hinter einer hohen, undurchdringlichen Hecke und einem stabilen Zaun ein weiterer langgestreckter Garten an, ein verwildertes Stück Land, das zu einem der georgianischen Reihenhäuser gehörte, die verlassen auf ihren Abriß warteten.

»Die Lage ist kritisch«, sagte Sir Magnus. Seine ernste Besorgnis hinderte ihn nicht daran, die Herausforderung in vollen Zügen zu genießen. Anstatt nachts immer nur wach zu liegen und das Schlimmste zu befürchten, hatte er endlich einmal Gelegenheit, seine Familie durch besonnenes Handeln vor der Außenwelt zu schützen. *Jetzt* würden die anderen auf ihn hören müssen.

»Wir könnten es als einen potentiellen Belagerungszustand betrachten«, sagte er. »Noch ist keine Katastrophe eingetreten, aber wir müssen auf alles gefaßt sein.«

Die anderen schwiegen und warteten ab. Magnus lehnte sich zurück und verschränkte die Hände vor der Brust, dabei drückte er die Daumen auf eine Weise aneinander, die große Entschlossenheit zum Ausdruck brachte. Dann ergriff er wieder das Wort und sprach langsam, ganz so wie Winston Churchill.

»Joshua wird – zumindest vorerst – wie gewohnt seinen Arbeitsplatz aufsuchen. Seine Arbeitszeit ist sein bester Schutz, vor allem zu dieser Jahreszeit.«

Joshua war erleichtert und verlor sofort jegliches Interesse an allem, was sonst noch gesagt werden könnte. Sein Kopf funktionierte so, daß seine Gedanken immer den kürzesten Weg zur Realität nahmen. Er stimmte mit seinem Vater völlig überein, daß die anderen Mennyms zu Hause bleiben mußten. Und er war sich absolut sicher, daß die Außenwelt *ihm* niemals auf die Schliche kommen würde.

»Dasselbe gilt für mein Joggen«, sagte Soobie.

»Eine unnötige Aktivität«, sagte sein Großvater, »aber du hast wohl recht.«

»Und was ist mit dem Einkaufen?« fragte Vinetta.

»Hier«, sagte ihr Schwiegervater, »setzen wir unsere Geheimwaffe ein. Alle Einkäufe, alle Wege zum Postamt oder dem Geldautomaten müssen von Miss Quigley übernommen werden. Sie wird auch für Tulip ins Wollgeschäft gehen. Ihre Fähigkeit, unbemerkt zu bleiben, ist unübertrefflich; da hat sie völlig recht.«

Miss Quigley fühlte sich von dieser öffentlichen Anerkennung ihrer Unscheinbarkeit geschmeichelt, aber ihrem Scharfsinn entging nicht, daß die Sache einen Haken hatte.

»Ganz anders jedoch«, sagte Sir Magnus, »steht es mit dem alten grünen Kinderwagen. Der fällt auf. Babys fallen auf. Sie bieten anderen Leuten einen Anlaß, ein Gespräch zu beginnen, hinzuschauen und Bewunderung zu äußern. Unter normalen Bedingungen würde Miss Quigleys Erscheinung ausreichen, um jede Aufmerksamkeit abzuwehren. Aber es herrschen keine normalen Umstände. Dort drüben ist eine Frau« (er streckte den Arm in die ungefähre Richtung von Nummer 9 aus), »die uns beobachtet. Vielleicht wartet sie nur auf eine Gelegenheit, sich auf uns zu stürzen. Bis wir uns vergewissert haben, daß keine Gefahr mehr besteht, dürfen Googles und der Kinderwagen nicht mehr aus dem Haus.«

»Kein Park mehr?« sagte Miss Quigley. »Googles liebt den Park, auch im Winter. Sie sieht so gern zu, wie ich die Enten füttere.«

Sir Magnus bedachte sie mit einem hochmütigen Blick.

»Wimpey hat mir erzählt, daß wir hinten im Garten Rotkehlchen haben«, sagte er. »Die können Sie ja füttern, wenn Ihr Herz so daran hängt.«

Miss Quigley fühlte sich unbehaglich, aber sie akzeptierte ihre neue Rolle als Vorratsbeschafferin im Feindesland. Sie betrachtete das als kleine Ergänzung zu ihren Pflichten als Kinderfrau, ohne daß ihr dadurch allzuviel von der Zeit geraubt würde, die ihr zum Malen blieb.

Appleby schaute immer noch vergrätzt drein. Pilbeam überdachte alles, was gesagt worden war, und schämte sich plötzlich.

»Das ist alles meine Schuld«, sagte sie. »Wir wären längst nicht so gefährdet, wenn ich nicht ins Theater gegangen wäre. Und dann auch noch in einem roten Mantel, nur weil ich gern schick aussehen wollte. Von wegen erwachsen und auf der Suche nach neuen Erfahrungen!«

»Mach dir keine Vorwürfe«, sagte Vinetta. »Jeder von uns hätte zu irgendeiner x-beliebigen Zeit beobachtet werden können. Außerdem«, und sie senkte die Stimme und schielte vorsichtig zu dem alten Herrn hinüber, »glaube ich wirklich, daß dein Großvater ein bißchen übertreibt.«

# 6
# Miss Quigley zu Diensten

Zwei- bis dreimal im Jahr brachte ein Lieferwagen ein Paket mit Faltkartons in den Brocklehurst Grove Nummer 5. Poopie und Wimpey freuten sich immer, wenn es wieder soweit war. Das Paket war für ihre Großmutter und enthielt einen Stapel zurechtgeschnittener und bedruckter Pappstücke, aus denen Schachteln wurden, wenn man sie richtig faltete. Außen waren die Schachteln dunkelgrün und der Name *Tulipmennym* stand in kunstvollen Schriftzügen kreuz und quer darauf. In diese Schachteln pflegte Tulip die Pullover und Strickjacken zu packen, die sie für Harrods machte. Sie betrieb dieses Geschäft schon seit vielen Jahren. Die Schachteln hatte sie selbst entworfen, noch bevor sie mit dem Londoner Kaufhaus überhaupt in Kontakt getreten war, denn sie wußte, wie sehr es auf die Verpackung ankam.

Im Lauf der Jahre waren Poopie und Wimpey Experten im Falten der Kartons geworden. Sie wußten genau, wie man sie knicken mußte und wo die Laschen hineingehörten. Und sie *liebten* diese Arbeit!

»Ihr macht das wirklich prima«, sagte Granny Tulip. »Bei mir würde sich alles verheddern.«

Das Problem stellte sich, als ein halbes Dutzend Schachteln fertig gepackt und mit Seidenpapier ausgelegt war, das die weiche, neue Wolle schützen sollte. Wer sollte sie zur Post bringen?

Das war immer Applebys Aufgabe gewesen, aber unter dem neuen Regime gab es nur ein Laufmädchen. Und das war weit über fünfzig und beträchtlich überarbeitet.

»Hortensia«, sagte Tulip mit ihrer freundlichsten Stimme, »ich weiß, es ist eine Zumutung, aber wären Sie so nett, ein paar Pakete für mich zur Post zu bringen? Sie müssen per Einschreiben geschickt werden, oder wie das jetzt heißt.«

Miss Quigley bedachte Tulip mit einem eisigen Blick. Zwischen den Schüchternen und den Selbstsicheren besteht immer eine tiefe Kluft, ganz unabhängig von der Situation. Und über dieser hier stand von vornherein kein günstiger Stern. Drei Wochen lang war Hortensia für Vinetta einkaufen gegangen und hatte für Sir Magnus alle möglichen Sachen zur Post gebracht. Sie hatte Zeitungen und Zeitschriften besorgt und für sämtliche Familienmitglieder so viele Botengänge gemacht, daß sie sich wie die letzte Dienstmagd vorkam. Inzwischen war es schon so weit gekommen, daß die anderen sie baten, ihnen etwas die Treppe hinauf- und hinunterzutragen. Ihre Funktion als Kinderfrau wurde vernachlässigt. Die arme kleine Googles lag ohne Fläschchen, ohne frische Windeln und ohne Bäuerchen im Kinderzimmer, wie eine Puppe, die ein Kind nicht mehr haben will. Meistens schlief sie. Und wenn sie wach war, blickte sie mit ihren haselnußbraun gesprenkelten Augen teilnahmslos zur Decke hoch. Sie machte sich nicht mal mehr die Mühe, mit ihrem Lieblingsbären aus rosa Plastik zu klappern. Es war schlimmer als zu der Zeit, als sie noch keine Kinderfrau hatte. Vinetta, die ständig vom Rest der Familie beansprucht wurde und immer etwas Dringendes zu tun fand, vergaß Googles völlig. Erst zur Schlafenszeit kam sie herein und trug das Baby ins Kinderschlafzimmer. Eine kurze Umarmung, ein schuldbewußter Seufzer. Und damit hatte sich's.

»Wie viele davon soll ich Ihrer Meinung nach auf einmal transportieren?« fragte Miss Quigley und betrachtete unsicher die Schachteln.

Hätte Tulip auch nur eine Spur von Feingefühl besessen, hätte sie den feindseligen Tonfall in Miss Quigleys Stimme herausgehört.

»Vier müßten eigentlich gehen«, sagte sie gelassen, ohne zu bedenken, wie sperrig die Pakete waren. »Sie sind nicht besonders schwer.«

»Sie sind sperrig«, sagte Miss Quigley mit zusammengekniffenen Lippen, die sich beim Sprechen kaum öffneten.

Appleby hatte normalerweise sechs auf einmal mitgenommen, und zwar in einer Sporttasche von gewaltigen Ausmaßen. Die war aus knallblauem Kunstleder, und auf der Seite stand *Adidas* in riesengroßen weißen Buchstaben.

Als ihr die Tasche gezeigt wurde, musterte Miss Quigley sie mit verächtlichem Blick.

»Die da«, sagte sie, »ist viel zu auffällig, die kann ich nicht nehmen. Wenn Sie glauben, daß bereits ein grüner Kinderwagen unerwünschte Aufmerksamkeit erregen kann, muß Ihnen doch klar sein, wie ein solches Ungetüm auffallen wird, zumal in der Hand einer Frau meines Alters und mit meiner Würde.«

Die letzten Worte sprach sie mit einem spöttischen kleinen Lächeln. Miss Quigleys stiller Sarkasmus war ein einzigartiger Charakterzug. Die Mennyms konnten ihn trotz ihrer vielfältigen Talente nie so richtig verstehen.

Ohne darauf zu antworten, trat Tulip an den Schrank in der Ecke des Frühstückszimmers und zerrte einen alten Einkaufswagen hervor, der aus einer karierten Tasche und einem ziemlich windschiefen Gestell bestand.

»Der müßte gehen«, sagte sie. »Darauf achtet kein Mensch.«

»Er sieht absolut schäbig aus«, sagte Hortensia. So peinlich ihr das auch war, fühlte sie sich doch zum Protest veranlaßt. Sie war nicht eitel und stellte keine Ansprüche, aber Schäbigkeit war ihr ein Greuel. Hier wurde ihre Selbstachtung untergraben. Und dieser schmuddelige alte Einkaufswagen war ein weiterer Tropfen in einem Faß, das schon nahe am Überlaufen war.

Tulip war ein ganzes Stück kleiner als Miss Quigley, aber mit ihrer Art, sich zu ihrer vollen Größe aufzurichten, erweckte sie in jeder Umgebung den Eindruck, alle anderen zu überragen. Mit ruhiger, aber gebieterischer Stimme sagte sie: »Etwas Besseres habe ich nicht. Ich hoffe, wir werden Sie nicht mehr lange bemühen müssen. Wir warten alle nur darauf, daß Sir Magnus Entwarnung gibt. Wenn er meint, daß keine Gefahr mehr droht, können wir wieder zum normalen Leben zurückkehren. Aller Wahrscheinlichkeit nach wird dieser Gang der einzige sein, um den ich Sie bitten muß.«

Und so machte sich Hortensia widerstrebend mit dem Wagen voller Schachteln auf den Weg zur Post. Ihre Schuhe waren blitzblank, der Mantel gründlich abgebürstet, und ihre gesamte Kleidung war makellos sauber. Sie wirkte nicht auffällig, aber sie setzte sich damit von dem beschämenden Wagen ab, dessen zerrissene Klappe sich über den vier Schachteln nicht richtig schließen ließ. Kleider machen Leute!

Der Postbeamte am Schalter, ein Mann in mittleren Jahren, grauhaarig und von anderen Dingen in Anspruch genommen, nahm die Pakete entgegen, füllte die Empfangsscheine aus und übergab sie ohne ein Wort und ohne einen Blick. Miss Quigley kaufte noch zwei Briefchen mit Briefmarken für Sir Magnus. Wenn eine Belagerung bevorstand, so hatte er argumentiert, war es ratsam, Vorräte anzulegen. Jedesmal ein bißchen mehr als nötig. Ein Hamstervorrat an Briefmarken und Schreibpapier.

# 7
# *Leichte Weise*

Mit seinen sechzehn Jahren war Tony Barras größer und schlanker als sein Vater, aber er hatte die gleichen schwarzen Haare und tiefblauen Augen. Seit drei Jahren wohnten Vater und Sohn zusammen mit den Großtanten Jane und Eliza im Brocklehurst Grove Nummer 1. Während der Schulzeit war Tony im Internat in Harrogate. Deshalb kannte er die Nachbarn noch nicht mal vom Sehen. Vielleicht lag es daran, daß die Mädchen aus der Nummer 5 immer schon junge Damen gewesen waren und er sich erst vor kurzem zum jungen Mann entwickelt hatte, jedenfalls waren sie ihm dieses Jahr zum erstenmal aufgefallen. Es war die letzte Märzwoche, und er verbrachte die Osterferien zu Hause.

Gerade als er das Gartentor hinter sich zuzog, um den Vormittag über durch die Stadt zu streifen, sah er zwei Mädchen seines Alters aus dem Haus Nummer 5 kommen und in seine Richtung gehen. Sie sahen munter und selbstbewußt aus, ganz und gar nicht wie die »Spinner«, von denen Anthea und Dad redeten.

Anstatt gleich in die Hauptstraße einzubiegen, schlug Tony einen Bogen rings um den Platz, damit er an den Mädchen vorbeigehen konnte. Er war fest entschlossen, sie zu grüßen. Nun ja, warum auch nicht?

Dann sahen sie *ihn*. Als wären sie gegen ein Kraftfeld geprallt, blieben sie abrupt stehen, machten auf dem Absatz kehrt und sausten in die entgegengesetzte Richtung davon.

Seit zwei Monaten befanden sich die Mennyms nun schon in ihrem selbst auferlegten Belagerungszustand. Zuerst war ihnen das nicht allzu schlimm erschienen. Im Februar war das Wetter nicht gerade verlockend gewesen, deshalb war niemand neidisch auf Miss Quigley, wenn sie sich warm einpackte, um der Unbill der Elemente zu trotzen. Die arme Frau war regelrecht erstarrt. Dazu trugen die Aufgaben, die ihr aufgebürdet wurden, ebenso bei wie das kalte Wetter.

»Vergessen Sie nicht Ihren Regenschirm«, sagte Tulip jedesmal, wenn sie Miss Quigley zur Tür brachte. Aber es war Vinetta, die sie bei ihrer Rückkehr begrüßte, ihr mit den Paketen half und sie im Wohnzimmer an den Kamin setzte.

»Essen Sie doch ein paar Kekse«, pflegte Vinetta herzlich zu sagen, nachdem sie ihrer Freundin und Verbündeten eine Tasse So-tun-als-ob-Tee eingeschenkt hatte. Hortensia rang sich jedesmal ein tapferes Lächeln ab, aber es führte kein Weg zurück zu jenen Zeiten, als sie die kleinen Kekse mit dem rosa Zuckerguß gepriesen und sich nichtvorhandene Krumen von den Lippen gewischt hatte. All das gehörte einer vergangenen Epoche an.

»Ich weiß nicht, wie lange ich das noch aushalte«, sagte sie eines Tages zu Vinetta. »Meine Aufgabe besteht darin, mich um Googles zu kümmern. Aber die bekomme ich kaum noch zu Gesicht, und wenn ich sie sehe, ist sie so schlapp und teilnahmslos, daß es mir das Herz zerreißt. *Sie* müssen sich ihr mehr widmen, Vinetta. Lassen Sie sich von den anderen nicht so in Beschlag nehmen. Und was meine Malerei anbetrifft – seit das alles anfing, habe ich keinen Pinsel mehr in die Hand genommen.«

Sie hatte das Gefühl, womöglich schon zuviel gesagt zu haben. Zur Versöhnung nippte sie an ihrer Porzellantasse und knabberte nervös an einem uralten Keks.

Vinetta machte ein besorgtes Gesicht.

»Es kann nicht mehr lange dauern«, sagte sie. »Weiter ist ja nichts passiert. Niemand hat sich uns genähert. Ich werde noch mal mit Magnus reden. Er muß endlich einsehen, daß er übervorsichtig ist.«

Dieser Ansicht war auch Appleby. Allerdings brachte sie dies etwas anders zum Ausdruck, als sie bei Pilbeam Dampf abließ. Ihre Wortwahl erinnerte eher an Poopie, wenn er mitten in einem Wutanfall war.

Die Schwestern hatten sich Platten angehört. Draußen gab die Sonne eines ihrer seltenen Gastspiele.

»Ich will raus«, sagte Appleby. »Das hier kann doch nicht alles gewesen sein. Weißt du, was ich denke?«

Pilbeam saß auf dem Fußboden und schaute einen Stapel alter Schallplatten durch. Sie sah zu Appleby hoch, die auf dem Bett lag und alle viere von sich streckte.

»Laß hören«, sagte sie. »Was für tiefsinnige Gedanken hegst du diesmal?«

»Es ist mein voller Ernst«, sagte Appleby. »Ich glaube, Granpa hat nicht mehr alle Tassen im Schrank. Bei ihm rappelt es total, und wir lassen ihm das alles durchgehen. Woche für Woche hocken wir zu Hause als müßten wir unsere Festung bewachen. Es ist komplett verrückt, aber alle haben zuviel Schiß, etwas dagegen zu unternehmen.«

Pilbeam wirkte unsicher. Insgeheim war sie ganz ähnlicher Ansicht, auch wenn sie nicht in eine so extreme Ausdrucksweise verfiel. Ein einziger Theaterbesuch ... ein einziges Wort von einer Fremden ... eine einzige Berührung an der Schulter ... Und schlagartig war die ganze Welt ihr Feind.

»Ich bereue schon lange, daß ich ihm überhaupt von Anthea Fryer erzählt habe. Sie wollte mich ja nur im Auto mitnehmen.

Ich hätte so geistesgegenwärtig sein sollen, einfach ›nein, danke‹ zu sagen. Panik löst immer nur noch mehr Panik aus. Wir dürfen aber nicht vergessen, daß es für uns kein größeres Risiko gibt, als erkannt zu werden. Granpa will nur unser Bestes, er denkt an unsere Zukunft.«

Appleby machte kein sehr überzeugtes Gesicht. Aufmüpfigkeit regte sich in ihr.

»Ich weiß selber nicht, warum ich hier herumliege und mich beschwere«, sagte sie. »Es gibt nur eine Lösung. Ich mach mich fertig und gehe!«

»Sie werden dich nicht lassen«, sagte Pilbeam.

»Sie können mich nicht daran hindern«, sagte Appleby, und ihre Augen funkelten so grün wie Smaragde. »Glaubst du vielleicht, ich werde vorher um Erlaubnis fragen?«

Pilbeam geriet ins Schwanken. Auch ihr machte es zu schaffen, tagein, tagaus zu Hause zu hocken. Auch sie fand, daß Granpa seine Vorsichtsmaßnahmen übertrieb.

»Ich komme mit«, sagte sie schließlich. »Wir werden ganz vorsichtig sein und nicht lange wegbleiben. Zumindest nicht beim erstenmal. Vielleicht können wir damit sogar etwas beweisen. Mutter jedenfalls würde sich freuen, wenn wir wieder zu unserem normalen Leben zurückkehren könnten. Und die arme Miss Quigley auch.«

Appleby war begeistert. Das war die alte Pilbeam von früher, als sie noch nicht so nervtötend erwachsen gewesen war.

»Jeans und Anoraks«, sagte Appleby. »Nicht den roten Mantel.«

Ganz leise verließen sie das Haus, ohne daß jemand etwas davon bemerkte. Miss Quigley war schon fort, mit einer Einkaufsliste unterwegs zum Markt. Alle anderen waren beschäftigt. Soobie, der in seinem Sessel am Fenster saß, hätte sie möglicherweise gesehen, aber er las mal wieder *Der Herr der Ringe* und war völlig darin vertieft.

Sie zogen das Gartentor hinter sich zu und gingen den Brocklehurst Grove Richtung Innenstadt entlang. Dabei kamen sie an der Nummer 4 und dann an der Nummer 3 vorbei. Als sie am Gartentor der Nummer 2 waren, sahen sie Tony Barras zielbewußt auf sich zukommen. Pilbeam entdeckte ihn zuerst und wußte sofort, daß er sie ansprechen wollte. Sie packte Appleby am Arm, drehte sie um ihre eigene Achse und zog sie in entgegengesetzter Richtung davon.

»Der will mit uns reden«, sagte Pilbeam. »Fang nicht an zu rennen, aber mach schnell.«

Schon bald lagen etliche Meter zwischen ihnen und der Gefahr.

»Kommt er uns nach?« fragte Pilbeam. Sie wagte sich nicht umzudrehen, wußte aber, daß Appleby eben das tat.

»Nein«, sagte Appleby. »Offenbar hat er sich's anders überlegt. Er ist wieder zurückgegangen, an der Nummer 1 vorbei.«

Mit einem wachsamen Blick zum Haus Nummer 9 hinüber verließen sie den Grove am anderen Ende.

»Für alle Fälle überqueren wir jetzt gleich die Hauptstraße. Später können wir ja wieder auf die andere Seite wechseln«, sagte Pilbeam.

Aber von dem Jungen war weit und breit nichts mehr zu sehen. Er war inzwischen, ein ganzes Stück vor Appleby und Pilbeam, auf dem Weg in die Stadt.

»Gehn wir zur *Leichten Weise*«, sagte Appleby. »Ich hab mir schon seit einer Ewigkeit keine Platte mehr gekauft.«

Die *Leichte Weise* gehörte zu Applebys Lieblingsläden. Dort wurden neue und gebrauchte Platten verkauft, von 78er Scheiben bis zu CDs. Applebys Geschmack schloß Klassik nicht mit ein, aber ihre Kenntnis von guter Popmusik erstreckte sich über einen Zeitraum von mehr als vierzig Jahren. Sie besaß eine beneidenswerte Sammlung von Country-und-Western-Platten.

*Leichte Weise* war in jeder Hinsicht ein idealer Laden für die Mennyms. Er war nicht gar so weit weg von ihrem Zuhause – ein tüchtiger Fußmarsch durch belebte Straßen, in denen junge

Leute mühelos anonym bleiben konnten. Der Weg dorthin führte die Mädchen die Hauptstraße entlang, am Theater vorbei bis zur Albion Street, dann folgten sie der Albion Street bis zur Kathedrale. Dahinter waren, umgeben von hoch aufragenden Gebäuden aus dem achtzehnten Jahrhundert, umgebaute Stallungen, die jetzt als Bürogebäude dienten. Bei einigen davon wurde das Erdgeschoß für dunkle kleine Läden genutzt. *Leichte Weise* war einer dieser Läden. Er lag versteckt in einer Ecke im Souterrain, so daß man drei ausgetretene Stufen hinuntergehen mußte. Sein Inneres erstreckte sich höhlenartig nach hinten. Die Beleuchtung war schwach und reichte kaum aus, um etwas zu erkennen, weshalb die Kunden ihre Platten nach vorn zu den Schaufenstern zu bringen pflegten, damit sie die Aufschrift besser lesen konnten. Der Besitzer, ein Mann undefinierbaren Alters, mit schütteren, rotblonden Haaren und einem ungepflegten Äußeren, hatte seinen Ladentisch in strategisch günstiger Lage neben der Tür und war seinen Kunden gegenüber ziemlich wortkarg. Er hatte selbst ein so hochgradiges Interesse an seinem Bestand, daß er sich nur ungern davon trennte.

Appleby und Pilbeam gingen hinein und schauten sich um. Ein paar wenige Kunden musterten angestrengt die Platten, die sie möglicherweise kaufen wollten ... Pilbeam ging zu den CDs. Appleby war schon bald in Country und Western vertieft.

»Kein schlechtes Angebot«, sagte eine Stimme neben ihr.

Um ein Haar hätte Appleby die kostbare 78er-Platte fallen lassen, die sie in der Hand hielt. Mit einem Seitenblick erkannte sie in dem Sprecher jenen Jungen, den sie im Brocklehurst Grove gesehen hatten. Appleby hätte es besser wissen müssen, aber die Versuchung, mit dem Feuer zu spielen, war zu groß. Immerhin herrschte dämmriges Licht im Laden, und ihre verräterischen Augen waren gut verborgen. Ihr auffallender Stil in Kleidung und Make-up reichten als Tarnung doch bestimmt aus, so daß sie es sich erlauben konnte, ein ganz kleines Risiko einzugehen.

»Die meisten davon hab ich«, sagte sie. »Ich sammle sie

schon seit Jahren.« Tony würde nie und nimmer darauf kommen, von welchem Zeitraum sie sprach!

Hinten im Laden, schwach beleuchtet von einer roten Lampe, die sich langsam drehte, stand eine alte Musikbox. Tony und Appleby schlenderten zu ihr hin und betrachteten die Liste der Platten, lauter alte Songs. Die Musikbox war auf Zwanzig-Pence-Stücke umgerüstet worden.

»Was wollen wir hören?« fragte Tony, die Münze einwurfbereit gezückt.

»Die Nummer achtunddreißig«, sagte Appleby.

Dann legte die Musikbox los, schwang eine Scheibe auf den altersschwachen Plattenteller, und es erklang in blechernem Sound die Sechziger-Jahre-Version eines Schlagers im Stil der Dreißiger.

> Ach, Liebster, eng mein Herz nicht ein,
> Es braucht doch Luft zum Glücklichsein.
> Um soviel schöner wär das Leben,
> Könntest du ihm Freiraum geben.
> Oh, laß es tanzen, laß es schweben ...

Diese Imitation von Jessie Matthews wurde von einem jungen Mann mit klarer Stimme und einwandfreiem englischem Akzent gesungen. Appleby fiel halblaut mit ein. Sie kannte den Text lange genug.

»Du kannst ja den Text«, sagte Tony.

»Ich kann jeden Song in dieser Musikbox auswendig«, sagte Appleby.

»Das gibt's nicht!« staunte Tony, nicht ungläubig, sondern voller Bewunderung.

»Doch«, sagte Appleby. »Als ich das letztemal nachgezählt habe, konnte ich den gesamten Text von fünfhundertneunundzwanzig Liedern.«

»Wow!« sagte Tony. »Kannst du gut singen?«

Appleby kicherte.

»Das möchte ich nicht behaupten«, sagte sie, »aber die Texte kenne ich wirklich.«

»Singst du in der Badewanne?« fragte Tony. Dieser Scherz war jetzt naheliegend.

Aber damit geriet er bei Appleby an die falsche Adresse. Sie schaute so erschrocken und mißtrauisch drein, als hätte Tony ihr einen unanständigen Antrag gemacht. Was für eine abartige Vorstellung! Sie war nur ein einziges Mal in einer Wanne voll Wasser gewesen, und das war der größte Horror aller Zeiten und gehörte zu der schlimmsten Erfahrung ihres Lebens. Und wer, der seine fünf Sinne noch beisammenhatte, würde sich freiwillig in eine *leere* Wanne setzen und darin singen wollen? Das war höchstens was für Babys wie Googles.

»Nein!« sagte Appleby scharf.

»Also, ich schon«, sagte Tony, »und meine Stimme ist garantiert viel schlimmer als deine, da geh ich jede Wette ein. Beim Singen erfinde ich auch noch meinen eigenen Text.«

In diesem Augenblick schaute Pilbeam zu ihnen hin und war zutiefst entsetzt. Sie legte die CD hin, die sie hatte kaufen wollen, und ging rasch zu ihrer Schwester hinüber.

»Komm schon, Appleby«, sagte sie. »Wir kommen sonst zu spät.«

Dann marschierte sie mit ihr zum Laden hinaus, bevor Tony auch nur ein Wort sagen konnte.

Die Glocke über der Tür bimmelte. Der Besitzer schaute aufmerksam auf, um sich zu vergewissern, daß diese Kunden, die nichts bezahlt hatten, den Laden mit leeren Händen verließen.

Tony Barras stand neben der Musikbox. Applebys Abgang war so plötzlich gekommen, daß er einige Zeit brauchte, um wieder klar denken zu können.

Draußen auf der Straße schauten Appleby und Pilbeam kein einziges Mal zurück. Ihr Tempo verlangsamten sie erst, als sie die Hauptstraße hinter sich gelassen hatten und fast schon zu Hause waren.

»Wie konntest du mit diesem Jungen reden«, sagte Pilbeam. »Noch dazu, wo wir uns vorgenommen hatten, besonders vorsichtig zu sein!«

»Es ist ja nichts passiert«, sagte Appleby.

»Nichts passiert!« sagte Pilbeam. »Er weiß, wer du bist und wo du wohnst. Das ist schlimm genug.«

»Ist ja gut«, sagte Appleby. »Ich tu's bestimmt nicht wieder. Aber du weißt doch, ich komme mit so was durch. Ich bin anders als der Rest der Familie.«

»So anders nun auch wieder nicht«, sagte Pilbeam.

Sie bogen in den Brocklehurst Grove ein.

»*Denen* sagen wir aber nichts davon«, sagte Appleby. »Sonst bekommen wir das dauernd aufs Butterbrot geschmiert. Es ist sowieso schon schlimm genug.«

Darin mußte Pilbeam ihr recht geben, doch in einem Punkt beharrte sie auf ihrem Standpunkt.

»Wir können nicht noch mal ausgehen«, sagte sie. »Für lange nicht. Granpa hat recht. Es ist zu riskant.«

Soobie sah sie, als sie nach Hause kamen, aber er sagte nichts.

# 8
# Eine heimliche
# Liebesgeschichte

E in paar Tage nach ihrem Besuch in der *Leichten Weise*
schaute Appleby zum Wohnzimmerfenster hinaus und
stellte erschrocken fest, daß Tony Barras den Vorgartenweg ent-
langkam. Zu diesem Zeitpunkt war außer ihr niemand im
Wohnzimmer; Soobie hörte in seinem eigenen Zimmer Radio.
Appleby stürzte in den Flur hinaus und wartete darauf, daß es
klingelte. Was sie dann wohl getan hätte? Wahrscheinlich hätte
selbst sie Bedenken gehabt, die Tür zu öffnen.

Zum Glück ertönte die Klingel erst gar nicht. Statt dessen fiel
zu Applebys großem Entzücken ein Brief durch den Briefschlitz
auf die Fußmatte. Sie hob ihn auf, und wie erwartet war er an
*Appleby* adressiert. Nur dieser eine Name stand darauf, der
sonderbare Name, den Tony im Plattenladen gehört und sich
gemerkt hatte.

»Was kam denn da eben zur Tür hereingeschneit?« rief Tulip
aus dem Frühstückszimmer.

»Nichts, Gran«, sagte Appleby. »Bloß Werbung für Doppel-
fenster.«

Sie rannte in ihr Zimmer, setzte sich auf den Fußboden und
lehnte sich mit dem Rücken an die Tür. Sie konnte nicht riskieren, daß Pilbeam plötzlich hereingeplatzt kam, während sie
den Brief las. Das ist das Schlimme an Pilbeam, dachte Appleby,
als sie den Umschlag aufmachte, sie spaziert einfach herein,

ohne anzuklopfen. Dabei war sie in allem so pingelig, besonders seit sie achtzehn geworden war.

*Liebe Appleby,* begann der Brief, *das Gespräch mit Dir hat mir großen Spaß gemacht. Wie schade, daß Dich Deine Schwester (es war doch Deine Schwester, oder?) so plötzlich weggeholt hat. Mein Vater sagt, ich darf Deine Familie nicht belästigen, weil Ihr keinen Kontakt mit uns haben wollt. Es ist daher ein bißchen riskant, wenn ich Dir jetzt schreibe. Ich kann nur hoffen, daß man Dir die Briefe gibt, die an Dich adressiert sind, und daß Du keinen Ärger deswegen kriegst. Wenn Du es schaffst, mir zu antworten, könnten wir vielleicht mal ein Treffen vereinbaren und zusammen ausgehen. Das müßte aber ein Geheimnis bleiben. Mein Vater findet, daß man die Wünsche anderer Leute respektieren muß. Aber die Wünsche Deiner Familie müssen ja nicht unbedingt auch Deine Wünsche sein. Wie gesagt, es hat mir großen Spaß gemacht, mich mit Dir zu unterhalten. Leute wie Du sind nicht so schüchtern. Ich freue mich darauf, von Dir zu hören. Tony Barras.*

*PS: Du brauchst Dir keine Sorgen zu machen, daß mein Vater Deinen Brief lesen könnte – er liest keine Briefe, die nicht an ihn gerichtet sind. Auch in dieser Hinsicht hat er sehr genaue Vorstellungen. Was für ein Glück!*

Appleby wurde beim Lesen nicht unterbrochen. Als sie fertig war, stand sie auf und verstaute den Brief sorgfältig im Innenfach ihrer Schultertasche. Wie schade, daß ich ihm nicht antworten kann, dachte sie, aber damit würde ich mir *richtigen* Ärger einhandeln.

Anderthalb Tage totaler Langeweile führten dazu, daß Appleby ihre vernünftige Entscheidung, nicht auf den Brief zu reagieren, über den Haufen warf. Pilbeam war immer noch böse auf sie, weil sie sich im Plattenladen mit Tony unterhalten hatte. Sie gingen zur Zeit sehr kühl miteinander um.

Ich könnte ihm schreiben, dachte Appleby, da wäre doch nichts dabei. Wenn ich gar nicht antworte, kommt er vielleicht noch mal hierher, und dann bin ich womöglich nicht da und kann die Sache nicht vertuschen. Das wäre doch bestimmt viel schlimmer, als ihm einen vorsichtigen Antwortbrief zu schreiben. Außerdem würde das mehr Spaß machen als alles, was es sonst zu tun gibt.

*Lieber Tony*, schrieb sie, *am liebsten hätte ich Deinen Brief sofort beantwortet, aber ich muß sehr vorsichtig sein. Dein Vater hat recht – meine Familie unterhält keinen Kontakt mit Außenstehenden. In unseren Adern fließt königliches Blut, wir entstammen einem entmachteten europäischen Adelsgeschlecht, dessen Namen ich nicht zu nennen wage. Sag keiner Menschenseele auch nur ein Wort davon. Und vernichte diesen Brief, sobald Du ihn gelesen hast. Ich weiß, daß Du mich nicht verraten wirst. Es gibt wenige Menschen auf der Welt, denen ich vertrauen kann, aber bei Dir bin ich mir sicher.*

*Ein Treffen mit Dir wäre äußerst schwierig. Bitte schreib mir wieder. Aber wirf Deinen Brief nicht bei uns in den Kasten. Es war ein glücklicher Zufall, daß gerade ich ihn aufgehoben habe und nicht ein anderes Familienmitglied. Die Post, die bei uns eingeht, wird zensiert. Wir brauchen also einen geheimen Briefkasten. Rechts neben unserem Torpfosten gibt es eine tiefe Ritze zwischen den Ziegelsteinen. Wenn Du mir schreiben möchtest, kannst Du Deinen Brief dort hinterlegen. Ich werde jeden Abend um sieben Uhr im Obergeschoß aus dem Fenster sehen. Wenn in Deinem Haus ein Licht in rascher Folge dreimal hintereinander an- und ausgeht, werde ich wissen, daß in der Mauer ein Brief für mich liegt. Das wäre sehr interessant. Es kann nämlich ziemlich langweilig werden, das Mitglied eines Königshauses zu sein. Deine Freundin Appleby Mennym.*

Appleby schrieb Tonys Namen und Adresse auf den Briefumschlag, klebte eine Marke darauf und wartete auf eine Gelegenheit, zum Briefkasten schleichen zu können. Das war kein leichtes Unterfangen. Nicht nur, daß es ihr verboten war, das Haus zu verlassen – noch schwieriger war es, zu verhindern, daß Pilbeam Verdacht schöpfte. Jedesmal, wenn die Luft rein war, tauchte sie prompt auf.

»Beobachtest du mich etwa?« fragte Appleby verärgert. »Ich kann keinen Schritt machen, ohne daß du neben mir auftauchst.«

»Gibt es denn etwas zu beobachten?« sagte Pilbeam. »Du hast mir versprochen, keine Ausflüge mehr zu machen, bis Granpa sich überzeugt hat, daß wir in Sicherheit sind. Du weißt doch, in welche Gefahr wir beim letztenmal fast geraten wären.«

»Ich habe gesagt, daß ich keine Ausflüge mehr mache, und das hab ich auch so gemeint«, sagte Appleby. Es kam ganz darauf an, was man unter »Ausflug« verstand. Wenn es dabei um einen Einkaufsbummel zu den Geschäften oder dem Markt ging, würde Appleby ihr Versprechen halten, jedenfalls in der nächsten Zeit. Nach Einbruch der Dunkelheit einen Brief einzuwerfen zählte aber nicht.

Und nach einiger Zeit gelang es ihr auch, zum Briefkasten zu gehen. Sie wurde nicht einmal bei ihrer Rückkehr ertappt.

Ein paar Tage später ging in der Nummer 1 das Licht in einem Zimmer im Obergeschoß in rascher Folge dreimal hintereinander an und aus. Die Kommunikation klappte. Appleby lief eilig zum Gartentor und zog ihren Brief zwischen den Steinen hervor.

»Was machst du denn da draußen?« fragte Tulip, als sie ihre Enkeltochter den Vorgartenweg zurückkommen sah. »Du sollst doch nicht aus dem Haus.«

»Ich war ja gar nicht weg«, sagte Appleby. »Im Haus war es so stickig. Da wollte ich nur mal ein bißchen frische Luft schnappen, Granny. Ich wette, du bist aus demselben Grund hier.«

Das stimmte, und es war sehr klug von Appleby, das zu erkennen. Granny Tulip hatte die Abendluft schon immer gemocht.

»Wir gehen mal lieber alle beide wieder hinein«, sagte Tulip. »Deine Mutter wird alles andere als erbaut sein, wenn sie glaubt, du wärst verschwunden.« Und wie zwei alte Freundinnen kehrten sie gemeinsam ins Haus zurück.

Appleby ging geradewegs in ihr Zimmer, zog die Tür hinter sich zu, legte den Brief in ihren Nachttisch und machte sich zum Schlafengehen fertig. Falls Pilbeam hereinkam, würde sie Appleby im Bett sitzen und eine Zeitschrift lesen sehen, und sie hätte keine Ahnung davon, daß darin ein Brief versteckt war.

*Liebe Appleby,* schrieb Tony, *Dein Brief ist einfach toll. Ich weiß nicht, was daran Wahrheit ist und was Phantasie, aber er bot jedenfalls eine interessante Lektüre. Und keine Bange, ich habe ihn vernichtet, so wie Du es wolltest.*

*Ich hoffe, uns fällt etwas ein, wie wir uns noch mal treffen können.*

*Könntest Du Dich nicht mal davonschleichen und zu mir kommen? Mein Vater verreist für zwei Tage, irgendwas Berufliches, und meine Großtanten gehen immer sehr früh schlafen. Wir könnten uns Platten anhören und zusammen zu Abend essen, na ja, so was Ähnliches wie ein Abendessen. Magst Du chinesisches Essen, das man sich mit nach Hause nehmen kann? Überleg's Dir und gib mir Bescheid. Es müßte nächsten Dienstag oder Mittwoch sein.*

*In zwei Wochen muß ich zurück ins Internat nach Harrogate, aber in den Ferien können wir uns ja trotzdem treffen. Ich würde Dich wirklich gern näher kennenlernen. Du brauchst Deine Antwort nicht mit der Post zu schicken. Hinterleg Deinen Brief einfach in der Ritze in der Wand. Das geht schneller und ist praktisch. Ich werde jeden Abend nach sieben dort nachsehen. Schreib mir bitte bald.*

*Alles Liebe, Tony.*

Appleby las den Brief mehrmals durch. Sie war sich nicht sicher, ob sie sich darüber ärgern sollte, daß er ihre Geschichte anzweifelte. Aber da ohnehin alles erfunden war, kam sie zu dem Schluß, daß beleidigt sein überflüssig war. Wenigstens wollte er von ihr nicht die Wahrheit hören, die ganze Wahrheit und nichts als die Wahrheit! Manchmal konnte Appleby sehr praktisch denken.

Mit der Einladung war es jedoch nicht so einfach. Appleby hatte schon von chinesischem Essen gehört. Mit Stäbchen essen wäre bestimmt ein schönes So-tun-als-ob. Aber Tony war ein menschliches Wesen und würde das mit dem So-tun-als-ob nicht verstehen.

*Lieber Tony,* schrieb Appleby, *was für ein herrlicher Einfall, daß ich zu Dir kommen und mit Dir essen und Deine Platten anhören könnte. Mir ist dadurch mal wieder bewußt geworden, wie sehr ich hier gefangen bin. Es wäre völlig unmöglich für mich, zu Dir nach Hause zu kommen. Wenn wir unsere Freundschaft weiter pflegen wollen, dann geht das nur als heimliche Brieffreundschaft. Aber auch das kann ja Spaß machen.*

*Erzähl mir von Deinem Internat in Harrogate. Bist Du gern dort? Spielst Du Kricket und ruderst auf dem Fluß? Schneidest Du bei Prüfungen gut ab? Ich durfte nie irgendeine Prüfung machen. Wir haben nämlich eine Gouvernante. Sie heißt Miss Quigley und ist sehr streng. Mein Großvater hält große Stücke auf sie, weil sie in Oxford studiert hat und sieben Sprachen spricht. Ich selbst würde aber viel lieber zur Schule gehen.*

*Schreib mir bitte wieder. Alles Liebe, Appleby.*

*PS: Ganz wichtig – vergiß bitte nicht, den Brief zu vernichten. Wenn jemand davon erfährt, würde ich furchtbaren Ärger kriegen.*

Ihre Freundschaft blühte und gedieh – sieben Briefe in ebenso vielen Tagen – , aber es bestand natürlich keinerlei Hoffnung auf ein Treffen. Auf Tonys Abreise nach Harrogate reagierte Appleby mit gemischten Gefühlen. Sie würde den Kitzel vermissen, Briefe zu erhalten und zu schreiben. Sie begann, eine aufrichtige Zuneigung für Tony zu entwickeln. Aber auf die Dauer können Geheimnisse auch ganz schön anstrengend werden, vor allem wenn sie mit so vielen Mühen verbunden sind.

Pilbeam schien ständig auf der Lauer zu liegen.

# 9

# Das Laufmädchen

S ag ihr, sie soll mir noch so einen Packen Schreibpapier besorgen, das gleiche wie beim letztenmal. Und ein paar von
diesen Briefmarken-Briefchen wären auch nicht schlecht«,
sagte Sir Magnus.

Es war der Donnerstag nach Ostern. Tulip war gekommen,
um nachzufragen, was sie alles auf Miss Quigleys Wochen-Ein-
kaufsliste schreiben sollte. Das war der Großeinkauf. An den
anderen Tagen der Woche wurde Miss Quigley je nach Bedarf
losgeschickt, um mal dies und mal das zu besorgen. Wolle war
natürlich etwas ganz Eigenes, was einer gesonderten Einkaufstour bedurfte. Miss Quigley verstand nichts von Wolle, und Tulip mußte ihr ganz genaue Anweisungen geben.

Vinetta, die unten in der Küche war, bestellte Waschpulver
und eine neue Schere.

»Kaufen Sie ja nicht so eine billige vom Markt, Hortensia«,
sagte sie. »Für die meisten Sachen ist der Markt gut genug, aber
nicht für Scheren. Gehen Sie zur Eisenwarenhandlung in der
Albion Street, gleich neben Woolworth.«

Poopie kam vom Garten herein. Als er sah, daß Miss Quigley
ausgehfertig war, fragte er: »Geht Miss Quigley einkaufen?«

»Das weißt du doch«, sagte seine Mutter. »Donnerstags geht
sie immer einkaufen. Das ist ihr Großeinkaufstag. Was möchtest du denn?«

Poopie sprach weiterhin seine Mutter an, so als brauchte Miss Quigley einen Dolmetscher.

»Kann sie mir vier neue Batterien mitbringen? Solche mit extra langer Lebensdauer, es steht HP11 drauf.« Nach kurzer Überlegung setzte er hinzu: »Ich gebe ihr lieber eine alte mit, sonst bringt sie mir bestimmt die falschen.«

Miss Quigley bedachte ihn mit einem sehr strengen Blick, sagte aber nichts.

Die Liste wurde immer länger. Sogar Joshua fügte einen Auftrag hinzu.

»Bitte sie doch, beim Schuster vorbeizuschauen. Meine schwarzen Schuhe brauchen neue Absätze. Aus Gummi, nicht aus Leder.«

Und schließlich, als Miss Quigley mit zwei großen Einkaufstaschen bereits auf dem Weg zur Tür war, kam auch noch Wimpey aus dem Spielzimmer gestürzt.

»Bitte, Miss Quigley«, sagte sie, »wenn ich Ihnen mein Taschengeld gebe, bringen Sie mir dann eine Überraschung mit?«

Miss Quigley machte ein verdutztes Gesicht.

»Ich wüßte nicht, was ich dafür besorgen soll«, sagte sie.

»Irgendwas«, sagte Wimpey und schaute eifrig zu ihr auf. »Ganz egal.«

Hortensia dachte über die Bitte des Kindes gründlich nach. »Ich glaube nicht, daß ich das tun kann«, sagte sie. »Womöglich bringe ich dir etwas, was dir nicht gefällt, und dann wäre dein Taschengeld vertan.«

»Als Mum noch einkaufen ging, hat sie mir oft Überraschungen mitgebracht, und sie haben mir immer gefallen. Mir gefällt alles. Ehrlich wahr.«

Nach einem Blick in Wimpeys ernstes kleines Gesicht nahm Hortensia den Auftrag an, wenn auch nur widerstrebend.

Als sie losging, verhieß der trügerische Aprilhimmel die Wonnen eines schönen Frühlingstages. Bei ihrer Rückkehr war es regnerisch und windig, ein ekelhaftes Wetter. Die Taschen waren voll und schwer. Wie immer hatte Miss Quigley jeden einzelnen Auftrag erfüllt, der auf ihrer Liste stand. Sie hatte fast vier Stunden dazu gebraucht, um in den verschiedensten Stadtvierteln von einem Laden zum anderen zu laufen.

»Sie sind ein wahres Wunder«, sagte Vinetta. »Ich wüßte nicht, was wir ohne Sie anfangen sollten.«

Sie nahm ihr die vollgestopften Taschen ab und half ihr aus ihrem feuchten Mantel. Dann gingen sie miteinander ins Wohnzimmer, wo Wimpey bereits wartete.

»Es ist in der braunen Tasche«, sagte Miss Quigley mit einem schwachen Lächeln.

Sorgfältig packte Wimpey die Tasche aus, bis sie auf eine Schachtel stieß, die eindeutig für sie bestimmt war. Mit zitternden Fingern packte sie ihre »Überraschung« aus.

»Das ist super, Miss Quigley«, sagte Wimpey und fiel ihr spontan um den Hals. »Das kleine Klavier hat genau die richtige Größe für mein Schiff.«

Miss Quigley saß im Wohnzimmer und erholte sich. Das viele Lob war ihr peinlich, zumal sie sich entschlossen hatte, ihre Kündigung einzureichen. Auf dem langen Heimweg hatte sie gründlich darüber nachgedacht. Da sie die schweren Taschen schleppte, konnte sie ihren Regenschirm nicht benutzen. Sie hatte sich in einem Ladeneingang untergestellt und sich damit abgemüht, eine Regenhaube über ihren Hut zu ziehen. Aber der Regen floß die Rillen im Plastik hinunter direkt in ihren Kragen. Nach all den Wochen, in denen sie geduldig ausgeharrt und sich ausgebeutet gefühlt hatte, war es schließlich diese Widrigkeit, die sie dazu trieb, eine äußerst schwierige Entscheidung zu treffen. Jetzt mußte sie Vinetta davon in Kenntnis setzen. Sie mußte es allen mitteilen, und sie tat es ungern.

»Es tut mir leid, Vinetta«, sagte sie. »Es tut mir wirklich sehr leid, aber so geht es nicht weiter. Ich bin als Kinderfrau von Baby Googles ins Haus gekommen. Jetzt bin ich keine Kinderfrau mehr. Ich bin das Mädchen für alles, und das hab ich satt.«

Vinetta sah ihre Freundin aufmerksam an. Plötzlich wußte sie, was als nächstes kommen würde, aber sie konnte es einfach nicht fassen.

»Heute war mein letzter Tag, meine Liebe«, sagte Hortensia. »Von jetzt an arbeite ich nicht mehr hier. Ich kehre in mein kleines Haus in der Trevethick Street zurück. Meiner Freundin Maud habe ich bereits geschrieben und sie von meinem Kommen unterrichtet. Ich hoffe, Sie werden mir erlauben, Sie von Zeit zu Zeit zu besuchen. Und noch mehr hoffe ich, daß wir Freundinnen bleiben. Aber was zuviel ist, ist zuviel.«

Soobie, der in seinem Sessel am Erkerfenster saß, hörte zu und hatte Respekt vor ihrer Haltung, auch wenn sie damit wieder zu dem allerblödesten So-tun-als-ob zurückkehrte.

»Bitte, Hortensia«, protestierte Vinetta und legte ihrer Freundin die Hand auf den Arm, »das kann nicht Ihr Ernst sein. Sie waren doch glücklich hier. Es läßt sich bestimmt etwas tun, damit alles wieder ins Lot kommt.«

»Jedes weitere Wort ist überflüssig, Vinetta«, sagte Miss Quigley und richtete sich sehr steif und gerade auf. »Ich habe alles gut durchdacht. Mich kann nichts mehr von meinem Entschluß abbringen.«

Sie stand auf, um packen zu gehen. Vinetta blieb sitzen und überlegte, was – wenn überhaupt – noch zu retten war. Sie konnte ihrer Freundin unmöglich die Rückkehr in ihr altes Zuhause verweigern, ein So-tun-als-ob, das ihnen vierzig Jahre lang wie Wirklichkeit erschienen war.

»Ich wäre Ihnen sehr verbunden«, sagte Miss Quigley, während sie sich zum Gehen wandte, »wenn Sie ein paar meiner Malsachen auf Ihrem Dachboden unterbringen könnten. Ich werde mir dann später etwas einfallen lassen, wie ich sie wegschaffen kann. Wenn Ihnen eines der Bilder gefällt, können Sie es selbstverständlich gerne behalten.«

Vinetta sagte nichts dazu. Sie war betroffen, daß es so weit hatte kommen können, und es war ihr entsetzlich peinlich.

Wie üblich deutete Hortensia das Schweigen falsch.

»Ich würde ja nicht darum bitten«, sagte sie, »aber in der Trevethick Street habe ich nicht viel Platz. Dort ist es schon sehr voll, und ich möchte mich nur ungern von den Möbeln meines Vaters trennen.«

Vinetta konnte sich nicht überwinden, Hortensias So-tun-als-ob zu widersprechen. In ihren Augen war jedes So-tun-als-ob heilig, ganz egal, worum es dabei ging. Und sie hatte für ihre Zurückhaltung noch einen weiteren Grund, einen längst nicht so tiefgründigen. Wenn sie geht, dachte Vinetta, kommt Sir Magnus vielleicht wieder zur Vernunft. Jetzt sind seine Nachschubwege abgeschnitten.

Aber diese Trennung war traurig, sehr traurig. Denn die Trevethick Street war nichts als ein gewaltiges So-tun-als-ob. In Wahrheit war der Flurschrank der einzige Wohnort, den Miss Quigley sonst noch hatte. Vierzig Jahre lang hatte sie darin auf einem Stuhl mit Rohrgeflecht gesessen und war nur etwa alle zwei Wochen zu einem So-tun-als-ob-Besuch in den Brocklehurst Grove gekommen. Dazu hatte sie sich durch die Küche zur Hintertür hinausgeschlichen und war nach vorn an die Haustür gekommen.

Dann hatte es geklingelt.

»Wer das wohl sein kann?« hatte Vinetta immer gesagt.

»Es ist Miss Quigley«, pflegte Soobie zu erwidern. »Das weißt du ganz genau.«

Seit damals hatte es Hortensia Quigley weit gebracht. Sie war eine perfekte Kinderfrau für Baby Googles geworden. Sie hatte sich zu einer sehr begabten Malerin entwickelt. Daß sie jetzt auf Dauer wieder in die Trevethick Street zurückkehrte, kam einer Tragödie gleich.

Aber es gab keine andere Möglichkeit. Kein Ausweg bot sich an. Hortensia packte ihre Habseligkeiten in ihre Reisetasche. Ein letztes Mal sah sie sich in ihrem schönen Zimmer um. Dann ging sie die Treppe hinunter, und zum erstenmal seit drei Jahren machte sie die Tür zu dem langgestreckten Wandschrank unter der Treppe wieder auf und stieg hinein.

Sie werden mich vergessen, bis ich komme und sie besuche, dachte sie. Aus den Augen, aus dem Sinn.

# 10
# Die Familie aus der Nummer 9

Die Fryers hätten sich selbst als glücklich verheiratet bezeichnet. Das waren sie jedoch nicht im normalen, herkömmlichen Sinn. Alec und Loretta verbrachten ebensoviel Zeit getrennt voneinander wie zusammen. Sie waren sich absolut treu und hielten unverbrüchlich zueinander, aber jeder führte sein eigenes Leben, und sie hatten nie zugelassen, daß Ehe oder Elternschaft ihre Arbeit störten. Wenn sich ihre Wege in Ruhezeiten oder im Urlaub kreuzten, genossen sie das Zusammensein, aber wenn die Arbeit sie wieder trennte, kehrten sie alle beide mit einer gewissen Erleichterung zu dem zurück, was sie als ihr wirkliches Leben betrachteten.

Im Laufe der Jahre waren zuerst Tristram und dann Anthea die Hüter des Familienwohnsitzes geworden. Sie lebten wie die Eltern von ehrgeizigen »Kindern«, die fortgingen, aber häufig für lange, herrliche Ferien wiederkamen. Alec und Loretta brauchten diesen Heimatstützpunkt. Es war die Umkehrung dessen, was normal war, aber viele Jahre hatte es wunderbar funktioniert. Jetzt standen Veränderungen bevor. Loretta hatte beschlossen, sich zur Ruhe zu setzen, und Alec schmiedete Pläne für ein Leben auf dem Land. Das konnte klappen oder auch nicht. »Wir können es ja wenigstens versuchen«, sagte er. »Wer nicht wagt, der nicht gewinnt.«

Anthea wurde zwar auf dem laufenden gehalten, aber nach

*ihren* Wünschen wurde nicht gefragt. Das war nie der Fall gewesen und war auch völlig unnötig. Ganz im Gegensatz zu ihrem nach außen getragenen Image war sie eine sehr fügsame Tochter. Außenstehende sahen sie als starke Kämpferin, die sich für gute Zwecke engagierte. Vielleicht verdrängte sie damit den Zorn, den sie in ihrem tiefsten Inneren empfand, weil sie letztlich diejenige war, die zu Hause blieb und nichts Bedeutendes tat. Auch hier stand eine Veränderung bevor.

Wie pflichtbewußte Kinder schrieben die Eltern von Zeit zu Zeit nach Hause. Von Mitte Februar bis Ende März hatten sich Alec und Loretta in der Nummer 9 aufgehalten. Anthea hatte ihnen Bobby Barras vorgestellt, aber ihre Eltern waren zu beschäftigt, um groß Notiz von ihm zu nehmen. In einem ihrer Briefe nach Hause würden sie sich vielleicht in einem Nachtrag nach ihm erkundigen, aber mehr auch nicht und vielleicht noch nicht einmal das. Loretta war jetzt in London und arbeitete an den Proben für ihre letzten Auftritte. Alec war nach Schottland zurückgekehrt, um die Suche nach einem Haus ernsthaft voranzutreiben. Ordnungsgemäß trafen Briefe ein.


Liebe Anthea, (schrieb Loretta)

diesen Brief schreibe ich an einem strahlend schönen Vormittag auf einer Bank in Kensington Gardens. Ich werde nie verstehen, wieso der April beschuldigt wird, ein »grausamer« Monat zu sein, was für symbolische Gründe auch immer dahinterstehen mögen. Wie alt ich auch werde – wenn der April kommt, werde ich mich immer jung fühlen.

Aber Du, mein Liebes, bist wirklich jung. Seit die Galerie geschlossen ist, scheinst Du jedoch wenig zu haben, woran Du Deine Jugend erproben kannst. Das macht mir Sorgen. Bitte, laß es nicht soweit kommen, daß Du einen Witwer heiratest und in einem Vorort des Lebens landest. Such Dir etwas, was

Dich wirklich ausfüllt, Schätzchen, und reiß Dich los. Das mußt Du selbst tun. Ich kann Dich nicht dazu zwingen, und ich kann es Dir auch nicht abnehmen.

Von Deinem Vater habe ich erfahren, daß wir irgendwo in Westschottland auf einen Landsitz ziehen werden, der von einem Burggraben umgeben ist. Das kommt mir ganz gelegen. Dann kann ich bei weit offenen Fenstern Klavier spielen, ohne mich auch nur im geringsten schuldig fühlen zu müssen! Wir werden alle zu Landmenschen werden – wenn Du einverstanden bist. Ich bin nicht dumm, Anthea. Du führst Dein eigenes Leben. Wir machen zwar Pläne, die Dich mit einbeziehen, aber nur deshalb, weil Du nie eigene Pläne zu haben scheinst. Fühl Dich aber zu nichts verpflichtet. In meiner eigenen Jugend habe ich mich viel zu oft verpflichtet gefühlt.

Alles Liebe,
*Deine Mutter*

Anthea legte den Brief in einen orangefarbenen Aktenordner, auf dessen Deckel M wie *Mutter* geschrieben stand. Sie ordnete die Nachrichten ihrer Eltern immer sehr sorgfältig. Die verschleierte Anspielung auf Bobby war ihr nicht entgangen. Wenn sie darauf wartete, daß ihre Mutter mit einem Bewerber einverstanden war, würde sie nie heiraten!

Nach dem Hinweis auf den »Landsitz mit Burggraben« wandte sie sich mit besonders großem Interesse dem Brief ihres Vaters zu.

Liebe Anthea, (schrieb er)

von den Engländern heißt es, daß ihr Zuhause ihre Burg ist. Also, ich hab eine gekauft. Es ist keine richtige Burg und liegt auch nicht in England, aber Du wirst ganz begeistert davon sein, das weiß ich genau. Das Haus steht an der Westküste von Schottland, und man hat einen atemberaubenden Ausblick auf die Irische See. Das nächste Dorf ist über eine Meile entfernt. In einer solchen Umgebung können wir richtige Menschen werden. Es ist einfach wunderbar.

Am zwanzigsten Mai komme ich wieder nach Castledean. Zuerst muß ich noch nach Edinburgh, um mit der Filmerei weiterzumachen, worauf ich mich nicht gerade freue. Wir hätten schon vor einer Woche fertig sein sollen. Bis ich wiederkomme, gilt es allerhand Vorbereitungen zu treffen. Wir wollen so weit wie möglich zum einfachen Leben zurückkehren, aber ich kann von Connie oder Deiner Mutter nicht erwarten, daß sie einen primitiven Haushalt führen. Die Rohre und elektrischen Leitungen müssen erneuert werden. Es gibt also allerhand an Renovierungsarbeiten zu erledigen. Das bedeutet, daß wir bis zum Ende des Mietvertrags im Brocklehurst Grove bleiben. Ein Glück, daß wir das Haus nicht gekauft haben! Bis zum Herbst wird unser Zuhause, unser richtiges Zuhause, fertig hergerichtet sein.

Hoffentlich freust Du Dich darauf, mein Herzblatt. Es tut mir leid, daß es mit der Galerie schiefgegangen ist, aber das hat wahrscheinlich auch sein Gutes. Auf lange Sicht hat fast alles sein Gutes. Das Landleben wird Dir Spaß machen. Du kannst Dich unten im Dorf in allen möglichen Bereichen engagieren, aktiv am Dorfleben teilnehmen. Vielleicht wird aus Dir ja mal eine Bäuerin. Es sollte mich nicht wundern, wenn Du in einen schottischen Klan einheiratest!

Paß gut auf Dich auf.

Alles Liebe,
*Dad*

Anthea lächelte, als sie den Brief zusammenfaltete. Endlich würden sie zusammensein, ihre ungeratenen Eltern. Sie würden ein Heim schaffen, zu verspäteten Nestbauern werden. Und nach all den Jahren konnte sie ihre Eltern endlich sich selbst überlassen und eigene Wege gehen. Das würde eine große Erleichterung bedeuten.

Sie schaute durchs Fenster auf die Statue von Matthew James in all seiner bürgerlichen Pracht. Hoffentlich gab es einen Brocklehurst Grove in Huddersfield. Sie freute sich darauf, Hausfrau in einer Vorstadt zu sein und selbst Kinder zu bekommen. Im September würde Bobby Barras eine neue Stelle antreten, eine neue Arbeit an einem neuen Ort. Und noch vor Jahresende wollten er und Anthea heiraten. Das hatte sie ihren Eltern noch nicht erzählt. Dafür blieb Zeit genug, wenn die beiden nach Hause kamen.

Die Großtanten in der Nummer 1 wußten bereits von den Plänen ihres Neffen. Sie waren schon sehr alt, viel zu alt, um sich einzumischen oder festzuklammern. Der Abschied von Bobby war für sie der Beginn einer ruhigen Zeit. Sie freuten sich darauf, daß alles wieder so werden würde, wie es früher gewesen war. Eine Haushälterin erledigte die gesamte Hausarbeit und den größten Teil des Kochens. Ein Mann im Haus war ein Eindringling. Ein Junge war ein Störfaktor, selbst wenn er nur in den Ferien kam. Es war wirklich ein Jammer, daß Bobbys erste Frau gestorben war! Und es war ein Glück, daß er eine neue gefunden hatte, bevor es zu spät war.

Die Mennyms wären sehr erleichtert gewesen, wenn sie von Antheas bevorstehender Abreise erfahren hätten. Aber sie wußten nichts davon.

# 11
# Eine stürmische Konferenz

Am Samstagabend fand eine Konferenz in Granpas Zimmer statt. Miss Quigley nahm nicht daran teil. Sie hatte sich seit über einer Woche nicht mehr blicken lassen. Soobie hatte die Briefe seines Großvaters um Mitternacht in den Kasten an der alten Kirche eingeworfen. Päckchen und Pakete waren nicht mehr verschickt worden. Niemand hatte irgendwelche Einkäufe getätigt.

Sobald die Schranktür ins Schloß gefallen war, hatte Vinetta in der Familie die Runde gemacht und allen von Miss Quigleys Kündigung erzählt.

»Miss Quigley hat sich entschlossen, in die Trevethick Street zurückzukehren«, sagte sie. »Ich muß zugeben, daß ich sie verstehen kann. Wir haben sie sehr schlecht behandelt. Und ich war keinen Deut besser als ihr anderen.«

»Also, für uns waren die letzten Wochen auch kein Vergnügen«, sagte Tulip. »In Kriegszeiten muß jeder Opfer bringen.«

»Wir haben aber keinen Krieg«, protestierte Vinetta. »Es soll eine Art Belagerungszustand sein. Wenn du mich fragst, dann ist das alles nur ein grausiges So-tun-als-ob, und es ist idiotisch, daß wir uns darauf einlassen.«

Tulip schürzte die Lippen und fixierte ihre Schwiegertochter mit einem gebieterischen Blick, der ihre Mißbilligung zum Ausdruck brachte.

»Keineswegs«, sagte sie. »Und selbst wenn es so wäre, mit welchem Recht untergräbst du das jetzt? Haben die Regeln, die für uns gelten, keine Gültigkeit für dich und Hortensia Quigley?«

Magnus' Kritik fiel noch unfreundlicher aus.

»Du hast sie dazu ermuntert«, sagte er. »Sie hat gar nicht den Mut, von sich aus so eine Entscheidung zu fällen. Glaub nur ja nicht, daß ich dich nicht durchschaue, Vinetta. Du meinst, wir würden wieder russisches Roulette spielen, nur weil wir niemanden mehr haben, der gefahrlos aus dem Haus gehen kann.«

»Russisches Roulette?«

»Darauf würde es hinauslaufen«, sagte Magnus. »Du gehst zum Markt – und *knall, peng* bist du tot. Oder wenn es dich nicht trifft, dann eben Pilbeam oder Appleby. Ihr werdet unvorsichtig. Dann entdeckt man euch und treibt euch in die Enge. Die Welt da draußen ist gefährlich.«

»Was sollen wir also tun?« fragte Vinetta, ohne dabei die Stimme zu heben.

»Wir schränken uns ein«, sagte Magnus. »Keine Einkäufe, keine Waren. Soobie kann die Post erledigen.«

Die anderen Familienmitglieder sagten wenig dazu und wirkten verlegen oder unbehaglich, je nachdem, wie empfindsam ihr Gewissen war.

Vinettas nächster Schachzug bestand darin, stundenlang im Kinderzimmer zu verschwinden, um Baby Googles zu versorgen. Waschen und Bügeln wurden total vernachlässigt. Abgerissene Knöpfe wurden nicht wieder angenäht. Streitereien wurden nicht durch mütterliches Eingreifen geschlichtet. Durch die Kinderzimmertür hörte sie immer wieder erhobene Stimmen, und der Ruf nach Vinetta als Richterin und Schlichterin wurde laut. Sie ignorierte das alles. Jemand mußte sich um Googles kümmern. Das arme Baby hatte keine Kinderfrau mehr.

Es wäre wirklich zum Krieg gekommen – zu einem Zermürbungskrieg –, wenn die Streichhölzer nicht gewesen wären. Die nächste Konferenz wäre noch lange nicht einberufen worden – wenn die Streichhölzer nicht gewesen wären …

Die Kamin-Gasfeuer im Haushalt der Mennyms waren von solider Qualität, aber schon ziemlich alt. Sie wurden regelmäßig gewartet und zweimal pro Jahr von Joshua gereinigt. Da sie schon so alt waren, mußten sie noch einzeln mit einem Streichholz entzündet werden. An einem Freitagmorgen stellte Tulip fest, daß nur noch eine Streichholzschachtel da war.

»Jemand *muß* einkaufen gehen«, sagte sie. »Es ist eine Entscheidung fällig. Wir müssen eine Konferenz abhalten. So kann es nicht weitergehen.«

Und so versammelte sich die Familie am nächsten Tag in Granpas Zimmer und wartete auf eine Erleuchtung.

Magnus sah Vinetta geradewegs in die Augen. Er wußte, daß sie seine größte Gegnerin war. Unzählige Male hatte sie diskret durchblicken lassen, daß der »Belagerungszustand« neu überdacht werden und eine Rückkehr zum normalen Leben erfolgen sollte.

»Seit Miss Quigley desertiert ist«, sagte Magnus, »haben wir keine Einrichtung mehr, die uns den Zugang zu den banalen Gütern der Außenwelt ermöglicht.«

»Miss Quigley ist keine Einrichtung«, sagte Vinetta.

»Ich wähle meine Worte so sorgfältig, wie ich es vermag, Schwiegertochter, und wenn meine Tiefgründigkeit deinen Ansprüchen nicht genügt, mußt du das eben aushalten«, sagte Sir Magnus hochmütig. »Um es in schlichter Sprache auszudrükken: Wir brauchen jemanden, der in die Geschäfte geht. In diesen höchst gefährlichen Zeiten ist es für Miss Quigley immer noch am sichersten, eine solche Aufgabe zu übernehmen.«

»Miss Quigley steht nicht zur Verfügung. Sie ist fort. Sie wohnt nicht mehr hier«, sagte Vinetta. »Wir haben sie aus dem Haus getrieben.«

Magnus bedachte Vinetta mit einem ungemein gütigen, versöhnlichen Blick.

»Wir haben Miss Quigley tatsächlich zuviel aufgeladen«, pflichtete er ihr bei. »Einige gedankenlose Mitglieder dieser Familie haben sie ausgenutzt und sie auf unnötige Botengänge geschickt, sogar innerhalb des Hauses. Das war schändlich. Einige Mitglieder dieser Familie sind dazu übergegangen, sie wie eine Dienstmagd zu behandeln. So etwas darf nie wieder vorkommen.«

Vinetta rüstete sich für das, was jetzt kommen würde. Aber der gerissene alte Herr wandte sich statt dessen an Tulip.

»Du mußt Miss Quigley sagen, daß sie aus dem Flurschrank hervorkommen und die notwendigen Dinge besorgen muß. Nur das Allernotwendigste.«

Vinetta kochte vor Wut. Magnus warf alles über den Haufen, was an Regeln existierte.

»Wie kannst du nur!« sagte sie. »Wie kannst du dich unterstehen! Miss Quigley, Hortensia, meine Freundin Hortensia, ist nach Hause in die Trevethick Street zurückgekehrt. Es ist ihr gutes Recht, wieder in der Trevethick Street zu leben. Sie ist als Kinderfrau zu uns gekommen. Falls sie wiederkommt, dann als Kinderfrau meines Babys. Und als nichts anderes.«

»Sie ist nicht deine Marionette«, sagte Magnus. Er sprach mit erhobener Stimme, und die schwarzen Augen quollen ihm aus dem Kopf.

»Und *deine* ist sie erst recht nicht!«

Appleby und Pilbeam sahen ihre Mutter mit neuer Bewunderung an. Sie hatten große Lust, sich einzumischen, waren aber klug genug, den Mund zu halten. Vinetta kam sehr gut allein zurecht. Die Zwillinge staunten mit offenem Mund. Soobie war ein stummer, zufriedener Zuschauer. Joshua, der auf einem Stuhl an der Tür saß, sah aus, als würde er gern die Flucht ergreifen. Und was Tulip anbetraf, so war sie sichtlich entsetzt. Niemand durfte sich Sir Magnus Mennym gegenüber einen solchen Ton herausnehmen.

Es dauerte eine Weile, bis Magnus sich davon erholt hatte.

Ziemlich lahm sagte er dann: »Jemand muß einkaufen gehen. Das erledigt sich nicht von selbst.«

»Ich werde einkaufen gehen«, sagte Vinetta. »Pilbeam wird einkaufen gehen. Appleby wird einkaufen gehen. Alles wird wieder seinen normalen Gang gehen. Die Belagerung, falls es sie je gegeben hat, ist vorüber.«

Sir Magnus sah sie finster an.

»Dann wird Miss Quigley nicht mehr gebraucht – und sie wird hier auch nicht mehr willkommen sein«, sagte er. »Soll sie doch in der Trevethick Street bleiben. Sie wird ja sehen, wie ihr das gefällt, nach den Jahren, die sie mit uns verbracht hat.«

Alle im Zimmer schauten Vinetta an und fragten sich, was sie als nächstes sagen würde.

Sie holte tief Luft.

»Du bist ein boshafter alter Mann«, sagte sie. »So etwas lasse ich nicht zu. Wenn ich Hortensia dazu überreden kann, ihren Posten als Googles Kinderfrau wieder zu übernehmen, werde ich das auf jeden Fall tun. Und ich werde mich glücklich schätzen, wenn sie einwilligt, zu uns zurückzukehren.«

Tulip machte ein Gesicht, als wollte sie widersprechen. Aber sie spürte, wie ihre Macht in dem Maße abnahm, wie die von Vinetta wuchs. Vor einem so öffentlichen Tribunal konnte sie keine Auseinandersetzung riskieren. Eine Niederlage wäre zu erniedrigend gewesen.

Sir Magnus' wallender Schnurrbart hing schlaff herab. Er setzte eine übertrieben erschöpfte Miene auf.

»Macht, was ihr wollt«, sagte er. »Aber geht jetzt. Ich bin alt. Ich brauche meine Ruhe. Ich habe euch vor der Gefahr gewarnt. Mehr kann ich nicht tun.«

Pilbeam und Appleby sahen einander an. Niemand hier im Zimmer wußte von ihrem Besuch im *Leichte Weise*. Niemand durfte je davon erfahren. Pilbeam hatte ein schlechtes Gewissen. Appleby, die sehr viel mehr zu verbergen hatte, wurde weniger von Gewissensbissen geplagt als von der Sorge, daß möglicherweise alles herauskommen könnte.

Am Abend unternahmen die Schwestern eine vorsichtige Einkaufstour zu dem Supermarkt, der auch spätabends noch geöffnet hatte, und kauften Streichhölzer. Am nächsten Tag feierten sie die Rückkehr der Freiheit mit einem Ausflug zum Markt am Kai. Auf dem Heimweg, als sie Sandy Bank in Richtung Hauptstraße entlanggingen, schien die Sonne. Es war ein gutes Gefühl, an einem schönen Apriltag im Freien zu sein.

»Wir müssen einfach nur vorsichtig sein«, sagte Pilbeam, die an ihr finsteres Geheimnis dachte. »Noch vorsichtiger als sonst.«

Pilbeam befand sich in einer schwierigen Lage. Sie hätte die anderen gern gewarnt, befürchtete aber, daß eine solche Warnung die Rückkehr zum Belagerungszustand bedeuten würde. Für Menschen, die absolut aufrichtig sind, ist es äußerst schmerzlich, Zugeständnisse an die Wahrheit machen zu müssen. Hätte sie von Applebys Briefen an Tony Barras gewußt, wäre sie zutiefst entsetzt gewesen.

# 12
# Die Einladung

Es war der Erste Mai. Appleby und Pilbeam beschlossen, einen Spaziergang zu machen. Das Wetter war gut, aber windig. Sie schlenderten die Hauptstraße entlang und rechneten nicht damit, daß irgendwas Besonderes passieren würde. Plötzlich sagte Pilbeam: »Schau nicht hin, da ist dieser Junge aus der Nummer 1. Ich glaube, er hat uns gesehen. Mach schnell. Hier lang, beeil dich.«

Sie waren auf der Höhe des Theaters. Appleby wurde ziemlich grob um die Ecke in die Kyd Street gezerrt. Sie riß sich los. Als sie sich umsah, entdeckte sie Tony, der ihnen nachschaute. Wild gestikulierend winkte sie ihn fort. Pilbeam, die vor ihr durch die Gasse lief, schöpfte keinen Verdacht. Ihr reichte es schon, daß der Junge aus der *Leichten Weise* offenbar Notiz von ihnen nahm.

»Mach schneller«, sagte sie, »und sieh dich nicht um.«

Als sie die Gefahr ein gutes Stück hinter sich gelassen hatten, eine Straße hinauf und eine andere wieder hinunter, verlangsamten sie ihr Tempo, und Pilbeam sagte: »Das war knapp. Wir müssen wirklich besser aufpassen.«

»Ich dachte, er wäre wieder im Internat«, sagte Appleby. Dann hielt sie entsetzt inne, als sie merkte, daß sie sich möglicherweise verraten hatte.

»Was soll das heißen?« fragte Pilbeam. »Woher weißt du denn das?«

Appleby versuchte sich wieder zu fangen, und wie üblich gelang ihr das auch. »Als ich mich mit ihm im Laden unterhalten habe, hat er mir erzählt, er wäre über die Ferien zu Hause und würde irgendwann nach Ostern ins Internat nach Harrogate zurückfahren.«

»Vielleicht ist er nur über den Ersten Mai hier, für ein verlängertes Wochenende«, sagte Pilbeam. »Wollen wir's hoffen. Wenn du doch nur nicht mit ihm gesprochen hättest!«

Am Abend stieg Appleby eifrig die Treppe hinauf und schaute um sieben Uhr am Treppenabsatz im Obergeschoß aus dem Fenster. Mit einem aufgeregten Kribbeln sah sie, daß im Haus Nummer 1 dreimal hintereinander ein Licht aufblitzte. Tony war also noch zu Hause, und er hatte ihr einen Brief geschrieben.

Da die Vorschriften jetzt wieder gelockert waren, stellte es kein Problem dar, zum Gartentor zu gehen. Falls sie eine Ausrede brauchte, konnte sie wieder darauf zurückgreifen, daß sie die Abendluft genießen wollte. Und es war nicht weiter schwierig, den Brief aus der Mauer zu holen, jedenfalls nicht für Appleby, die sich immer darauf verlassen konnte, daß ihre Hand noch flinker war als das Auge.

Seit über drei Wochen hatte sie nichts mehr von Tony gehört. Er hatte treu und brav alle ihre Briefe vernichtet. Sie verwahrte seine in einer kleinen Pappschachtel unten in ihrem Schrank. Der neue Brief würde zu den anderen kommen, sobald sie ihn ein halbes Dutzend Mal gelesen hatte.

*Liebe Appleby*, schrieb Tony, *wie schade, daß Deine Schwester bei Dir war. Es wäre sonst eine so günstige Gelegenheit gewesen, miteinander zu reden. Ich bin für eine Woche zu Hause, weil im Internat irgendeine Lehrerkonferenz stattfindet. Und ich habe für den Samstag Karten für die Jugenddisko im Plaza. Es spielt eine Live-Band – Die leeren Kessel. So nennen sie sich, weil sie finden, daß sie mehr Krach machen können als jede andere Band. Kannst Du es nicht ermöglichen, dort hinzukom-*

*men? Schleich Dich heimlich aus dem Haus. Ich kann am Ende der Straße auf Dich warten, oder wo immer Du willst. Eine so gute Gelegenheit dürfen wir einfach nicht verpassen. Wenn ich wieder nach Harrogate zurückfahre, bleibe ich bis Ende Juli weg. Das Schuljahr wird nämlich um eine Woche verlängert, zum Ausgleich für diese Woche, die wir jetzt freihaben. Bitte komm mit in die Disko. Wir können dort viel Spaß haben. Hinterleg mir eine Nachricht in der Mauer. Alles Liebe, Tony.*

Es wäre nicht Applebys erster Diskobesuch. Sie war sogar schon mal in der Disko im *Plaza* gewesen. Zu dieser Mutprobe hatte sie sich selbst herausgefordert, nachdem sie die Pop-Sendungen im Fernsehen gesehen hatte. Beim erstenmal war sie sehr nervös gewesen. Am Eingang hätte sie fast wieder kehrtgemacht, als sie die zwei Türsteher sah, die Smokings trugen und sehr bedrohlich wirkten. Aber die Musik, die zu ihr hinausdrang, war laut und vertraut und freundlich. Damals hatte sie an der Tür bezahlt. Als sie erst mal im Gedränge war, konnte sie alles genau beobachten. Dazu hatte sie sich an das Chromgeländer an der Bar gelehnt, so daß sie auf die gesamte Halle hinunterschauen konnte. Jugendliche tanzten allein und ignorierten sich gegenseitig. Rauchschwaden wirbelten durch die Luft, und Regenbogenlichter flackerten. An der Decke drehte sich eine Glitzerkugel. Sie bestand aus Hunderten von Spiegelscherben, in denen sich das Licht brach und Muster auf die Tanzfläche warf. Appleby hatte Mut gefaßt und so getanzt wie die anderen auch. Es war möglich, in einer solchen Menge als Fremde völlig unbemerkt zu bleiben. Aber wenn sie mit Tony dort hinging, war das Risiko doch zu groß. Dann wäre sie nicht allein in der Menge. Das war unmöglich. Für jede normale Lumpenpuppe war es unmöglich. Aber für Appleby? Nun ja ... vielleicht nicht.

*Wenn ich mit ihm vereinbare, daß wir uns drinnen treffen,* dachte sie, *dann könnte ich ihn bitten, meine Karte in der Mauer zu hinterlegen. Und ich würde ihm sagen, daß wir uns* am Flipper links neben der Bar treffen. Auf diese Weise wüßte er, daß ich schon mal dort war. Er würde keinen Verdacht schöpfen. Und wenn es brenzlig werden sollte, nachdem wir uns drinnen getroffen haben, könnte ich mich ganz einfach in der Menge verdrücken und hinter den Säulen einen sicheren Rückzug antreten.

Und so lag in der Ritze in der Mauer ein Brief, in dem die Einladung freudig angenommen wurde. Tony lächelte beim Lesen. So wie sein Vater Antheas Schwächen liebevoll tolerierte, konnte auch Tony erkennen, daß mit Appleby etwas nicht ganz stimmte, aber deshalb mochte er sie nicht weniger. Sie war anders als alle Mädchen, die er bisher kennengelernt hatte. Ihre Heimlichtuerei, ob sie nun wirklich notwendig war oder nicht, verlieh ihrer Freundschaft eine pikante Note.

Appleby holte die Eintrittskarte aus der Mauer und versteckte sie im Innenfach ihrer Schultertasche. Am nächsten Tag schlich sie sich allein zu *Klamotten en masse*, einem Laden in Rothwell Close, gleich bei der Hauptstraße, der auf Secondhand-Kleidung für junge Leute spezialisiert war. Sie wühlte alles durch und fand einen langen, schwarzen Rock mit Fransen am Saum, ein knallrosa Oberteil mit langen schmalen Ärmeln und eine üppig gemusterte Brokat-Weste. Die Sachen waren deutlich billiger als woanders, aber Appleby mußte dennoch jeden Penny dafür hinblättern, den sie hatte, und außerdem noch ein bißchen feilschen. Die Verkäuferin schenkte der Schmetterlings-Sonnenbrille und den buntgestreiften Handschuhen, die Appleby nicht mal beim Bezahlen ablegte, nicht die geringste Beachtung. Ihrerseits hatte sie lila Haare, eine kleine Tätowierung am Kinn, einen Ring durch die Nase und vertrat energisch die Ansicht, daß jeder die Freiheit besaß, seinen eigenen Kram zu machen.

Applebys nächste Aufgabe bestand darin, sich eine Strategie auszudenken, um am Samstag aus dem Haus zu kommen und, noch konkreter, Pilbeam zu entwischen.

Ich kann so tun, als wäre ich müde, und ihr sagen, daß ich früh ins Bett gehe. Ich kann irgendeinen Streit vom Zaun brechen und mich schmollend zurückziehen. Bis spät in die Nacht lag Appleby wach im Bett und grübelte darüber nach, was sie Pilbeam erzählen sollte. Alles andere zählte nicht. Niemand sonst beobachtete sie so, wie Pilbeam es tat. Niemand sonst war so mißtrauisch.

»Zum Kuckuck!« sagte Appleby laut und bohrte die Faust in ihr Kissen. Was kann ich ihr nur sagen? Auf diese Frage fand ihr Kopf schließlich eine erstaunliche Antwort: Sag ihr die Wahrheit. Diesmal funktioniert eine Lüge nicht. Vertrau ihr wenigstens die halbe Wahrheit an.

»Pilbeam«, sagte Appleby mit leiser, geheimnisvoller Stimme, »wenn ich dir etwas sage, versprichst du mir dann, den anderen nichts davon zu erzählen?«

Sie saß im Sessel in Pilbeams Zimmer, nachdem sie ihre Schwester eine Viertelstunde nach Mitternacht aus dem Schlaf gerissen hatte. Was Appleby für sich beanspruchte, galt noch lange nicht für den Rest der Welt!

»Ich mache keine Versprechungen«, sagte Pilbeam, die Mühe hatte, richtig wach zu werden. »Ich kann ja nicht wissen, ob du womöglich beschlossen hast, abzuhauen. Wenn du so was vorhast, sage ich Bescheid! So einfach ist das.«

»Nein!« sagte Appleby. »Das ist es nicht. Hältst du mich für bescheuert, oder was? Alles geht wieder seinen normalen Gang. Wir gehen einkaufen. Wir könnten sogar ins Kino gehen, wenn wir wollten, oder ins Theater oder in ein Konzert, wie du neulich vorgeschlagen hast. Es gibt keinen Grund wegzulaufen.«

Pilbeam fand Applebys Vision eines bunteren und erfüllteren Lebens nun doch etwas zu optimistisch. Aber das Argument erfüllte seinen Zweck. Es spielte herunter, was Appleby wirklich vorhatte, und sorgte dafür, daß Pilbeam nicht mehr auf der Hut war.

»Also schön«, sagte Pilbeam. »Erzähl mir dein Geheimnis.

Ich werde den anderen nichts davon erzählen. Aber ich sag dir, was ich davon halte.«

»Meinst du, es wäre möglich«, fragte Appleby, »daß ich auch mal nach Einbruch der Dunkelheit weggehe, so wie Soobie? Na ja, nicht richtig bei Dunkelheit, mehr so in der Dämmerung. Ich meine, Soobie geht zu Zeiten aus, zu denen ich mich nicht auf die Straße traue. Aber er ist ja auch ein Junge. Mädchen können nicht erwarten, genauso große Freiheiten zu haben.«

Sehr geschickt flocht Appleby genau das ein, was Pilbeam auf die Palme bringen würde. Pilbeam vertrat nämlich vehement die Ansicht, daß Jungen und Mädchen, Männer und Frauen in allen Dingen gleich behandelt werden sollten. In Granpas Worten, der manchmal Dinge sagte, die er nicht so ganz ernst meinte: Was dem einen recht ist, ist dem anderen billig.

»Ich kann mir nicht vorstellen, daß du joggen willst«, sagte Pilbeam. »Aber wenn es so wäre, müßten dir die gleichen Rechte zustehen wie Soobie. Allerdings ist Soobie ein spezieller Fall, weil er doch blau ist. Er kann tagsüber nicht aus dem Haus.«

»Natürlich will ich nicht joggen«, sagte Appleby verächtlich. »Das wäre mir viel zu gefährlich. Ich versteh nicht, wie Soobie so was *wagt*.«

»Na schön, und was willst du machen?«

»Also, du weißt doch, daß ich mir neulich in dem kleinen Laden in der Hauptstraße ein Paar neue Stiefel gekauft habe?«

Pilbeam nickte, fragte sich allerdings, wohin dieses Ablenkungsmanöver führen sollte. Sie erinnerte sich daran, daß ihre Schwester mit neuen Stiefeln nach Hause gekommen war. Den kleinen Laden kannte sie gut. Sie gingen oft hin, weil er nicht besonders gut beleuchtet war. Die Verkäuferinnen waren zwei umständliche, aber recht nette alte Damen, die der Ansicht waren, daß alle Jugendlichen mit ihren abgerissenen Kleidern und den Punk-Frisuren verrückt aussahen, und wer weiß, wo sie das Geld für ihre Einkäufe hernahmen! Aber immerhin, pflegte Florrie zu

Joyce zu sagen, sie geben es hier bei uns aus, und das ist die Hauptsache – und die Stiefel sind gar nicht so übel, besser als diese Zehenkneifer, die wir in unserer Jugend getragen haben.

»Du rätst es nie, was die beiden in dem Laden jetzt machen«, sagte Appleby. »Sie haben eine Werbeaktion, bei der sie Eintrittskarten für die Disko im *Plaza* verteilen. Ich konnte es kaum glauben. Wer letzte Woche für mehr als zehn Pfund bei ihnen kaufte, bekam eine Karte. Und ich hab eine.«

»Das glaub ich dir nicht«, sagte Pilbeam.

»Es stimmt aber«, sagte Appleby, »ehrlich wahr. Sieh mal, hier ist die Karte.«

Pilbeam betrachtete die Karte und sagte: »Aber du gehst da nicht hin.«

»Doch«, sagte Appleby. »Nur ganz kurz. Ich hab das schon früher gemacht, das weißt du doch.«

»Das ist lange her«, sagte Pilbeam.

»Erst fünf Jahre. Soviel wird sich dort nicht verändert haben. Es ist genauso, wie ich es dir beschrieben habe – Lichter und Rauch und Heavy Metal. Dir würde es nicht gefallen. Aber Geschmäcker sind eben verschieden. Ich wäre ja auch nicht ins Theater gegangen, um mir den *Kaufmann von Venedig* anzusehen. Du schon. Außerdem bleibe ich nur eine Stunde. Du könntest meine Verbündete sein und dafür sorgen, daß niemand etwas merkt, wenn ich weg bin. Und du könntest nach mir Ausschau halten und mich wieder reinlassen, wenn ich heimkomme. Es ist ganz harmlos, ehrlich.«

Pilbeam wirkte unsicher. Jetzt sah Appleby den richtigen Augenblick gekommen, um wütend zu werden. Das war ein alter Trick, mit dem sie andere auf ihre Seite brachte.

Sie stand auf und sagte: »Na gut, na gut. Ich gehe nicht hin. Ich werde die Karte zerreißen. Nie komme ich irgendwohin. Mir kauft man ja auch keine schicken Klamotten, so wie dir. Ich hab überhaupt nichts vom Leben. Wenn ich doch bloß ein Junge wäre!«

»Setz dich hin«, sagte Pilbeam, »reden wir darüber.«

»Wozu?« fragte Appleby, aber sie setzte sich trotzdem hin.
»Du willst nicht, daß ich gehe. Also gehe ich nicht. Thema beendet.«

»Die Entscheidung liegt nicht bei mir«, sagte Pilbeam. Es war spät, und sie war müde.

»O doch«, sagte Appleby. »Wenn du Mum oder Granny davon erzählst, kriege ich Ärger. Für dich ist es kinderleicht, mir alles zu vermiesen.«

»Na schön«, sagte Pilbeam. »Wenn du unbedingt willst, dann geh für eine Stunde in die Disko. Aber wenn du um halb elf nicht wieder im Haus bist, muß ich Mum Bescheid sagen. Und wenn du um elf nicht wieder da bist, werden wir alle Todesängste ausstehen. Und das wäre nicht fair.«

Appleby stand auf, ging zu ihrer Schwester und fiel ihr um den Hals.

»Du bist super«, sagte sie. »Die beste Schwester, die man sich vorstellen kann. Und ich verspreche dir hoch und heilig, daß ich spätestens zwanzig nach zehn wieder hier im Haus sein werde, vielleicht sogar früher. Es ist ja keine große Sache. Nur eine kleine Spritztour.«

# 13
# Besuch

Vinetta hatte viel zuviel Achtung vor Hortensia, um sofort zum Flurschrank zu sausen und ihr das Ergebnis der Konferenz mitzuteilen. Ihrer Meinung nach gebot es der Anstand, darauf zu warten, bis Miss Quigley aus eigenem Antrieb ihrer Freundin mit Glacéhandschuhen, Filzhut und tadellosem braunem Kostüm einen Besuch abstattete.

Am Mittwoch nach dem Ersten Mai ging vormittags die Schranktür auf und Miss Quigley trat heraus. Leise schloß sie die Tür hinter sich und machte sich durch die Küche auf den Weg ums Haus herum.

Joshua war gerade vom Garten hereingekommen und streifte die Handschuhe ab, die er zum Jäten immer trug. Er breitete eine Zeitungsblatt aus und kratzte sorgfältig die Erde von den Handschuhen. Dabei drehte er Miss Quigley betont den Rücken zu und ließ sich nicht im mindesten anmerken, daß er sie hatte vorbeigehen sehen. So hatte man das früher immer gemacht, bevor aus dem Gast die Kinderfrau geworden war. Damals hatten alle in der Familie bei dem So-tun-als-ob mitgemacht. Zwischen Schrank und Hintertür mußte die Besucherin unsichtbar sein, und wer sie sah, wandte den Blick ab.

Es klingelte an der Haustür, und Soobie, der den Gast durchs Fenster sah, rief mit ausgesucht freundlicher Stimme: »Mutter, Miss Quigley ist an der Tür.«

Das war ganz und gar nicht typisch für Soobie. Früher hätte er von seinem Sessel am Fenster bissige Bemerkungen über den So-tun-als-ob-Besuch einer Frau gemacht, die eigentlich im Flurschrank wohnte. Aber der weise blaue Mennym, der für sein Alter außerordentlich reif war, wußte genau, daß dieser Besuch der erste und letzte war. Die Dinge würden wieder ihren normalen Lauf nehmen. Miss Quigley würde im Brocklehurst Grove einziehen und ihre Pflichten als Kinderfrau von Googles wiederaufnehmen.

»Was für eine wunderbare Überraschung!« sagte Vinetta, als sie die Tür öffnete. »Wir haben Sie alle so vermißt, vor allem das Baby. Wenn ich nicht so vernünftig wäre, würde ich ganz eifersüchtig werden. Es sieht so elend aus, das arme Lämmchen, und fragt dauernd nach ihrer ›Nanna‹.«

Miss Quigley lächelte höflich, aber die Atmosphäre war unterkühlt.

»Und wie geht es in der Trevethick Street?« erkundigte sich Vinetta, als sie sich im Wohnzimmer niederließen. Wie stets stand das Teetablett vor ihnen auf dem Tisch. Vinetta goß ein nichtvorhandenes Getränk in die Teetassen mit dem Weidenmuster.

»In der Trevethick Street bleibt immer alles beim alten«, sagte Miss Quigley. »Das Leben geht in den gewohnten Bahnen weiter. Meine Nachbarin, Miss Whiteley, hat nach meinem Haus gesehen. Und Sie erinnern sich bestimmt noch daran, daß der kleine Lotus Turner meine Katze adoptiert hat; das hatte ich Ihnen seinerzeit erzählt. Die Fenster mußten dringend mal wieder geputzt werden, aber das war auch schon alles.«

Als nächstes ging Miss Quigley zu einem anderen So-tun-als-ob über, was Vinetta ohne einen Muckser akzeptierte. In der Welt der Mennyms galt Widerspruch als äußerst taktlos.

»Es ist ja nicht so, als ob ich lange weggewesen wäre«, sagte Miss Quigley. »Ich war ja immer mal wieder übers Wochenende da und dann noch im Sommerurlaub. Dadurch ist das Haus nie ganz verwaist.«

»Trotzdem«, sagte Vinetta, »ich finde, Sie hätten das Haus vermieten sollen. Das wäre viel praktischer gewesen. Vielleicht ziehen Sie das diesmal in Betracht.«

»Diesmal?« Miss Quigleys Stimme hatte einen bedeutungsvollen Unterton. Einen unfreundlichen, mißtrauischen Unterton, in dem eine Spur von Empörung über das mitschwang, was als nächstes kommen würde.

Vinetta verstand.

»Es ist nicht so, wie Sie denken, Hortensia«, sagte sie. »Wenn Sie damit einverstanden sind, wieder zurückzukommen, *heim*zukommen, in Ihr eigenes Zimmer hier im Haus, wird Sie nie wieder jemand bitten, die Einkäufe zu erledigen. Sie werden Googles Kinderfrau sein, und damit sind Ihre Pflichten voll und ganz erfüllt. Das Haus befindet sich nicht mehr im Belagerungszustand. Dieses alberne, bedrückende So-tun-als-ob ist vorbei.«

Miss Quigley schien immer noch zu zweifeln.

»Sagen Sie doch bitte ja«, bat Vinetta. »Ohne Sie ist die Familie nicht vollständig. Ich weiß, daß Sie in der Trevethick Street Ihre Freunde haben. Ich weiß, daß Ihnen das kleine Haus dort lieb und teuer ist. Aber wir brauchen Sie hier, Hortensia. Googles braucht Sie. Wir alle vermissen Sie.«

Ganz plötzlich, so peinlich ihr das auch war, begann Miss Quigley zu schluchzen. Ihre schmalen Schultern bebten.

»Was ist denn?« fragte Vinetta besorgt. »Was ist denn los, Hortensia?«

Miss Quigley riß sich zusammen und setzte sich aufrecht hin. »Es ist nur, weil ich dachte, niemand will mich haben«, sagte sie jammervoll. »Ich dachte, Sie wären alle froh, mich los zu sein. Ich habe so lange auf eine Einladung gewartet, zum Tee oder zu sonst irgendwas. Aber es ist keine Nachricht gekommen. Ich dachte, alle hätten mich schon vergessen.«

Vinetta bekam ein schlechtes Gewissen.

»Wie wenig wir einander doch verstehen!« sagte sie. »Ich dachte, Sie wollten eine Weile allein sein, still für sich in der Trevethick Street etwas Zeit verbringen. Da wollte ich mich nicht aufdrängen. Nie im Leben hätte ich Sie so gekränkt, wenn ich auch nur die geringste Ahnung gehabt hätte.«

Miss Quigley sah Vinetta an und wußte, daß sie meinte, was sie sagte.

»Ich komme zurück«, sagte sie und faßte sich wieder, wie man es von ihr gewohnt war. »Aber es muß für alle eindeutig klar sein, daß ich kein Dienstmädchen bin. Ich bin Googles Kinderfrau und sonst gar nichts. Mir wäre wohler, wenn wir das diesmal in meinen Vertrag aufnehmen könnten, falls Sie nichts dagegen haben.«

»Natürlich nicht«, sagte Vinetta. »Ich muß zugeben, ich kann Sie gut verstehen. Sir Magnus mag sich für einen Ehrenmann halten, aber er hat keinen Schimmer davon, was es heißt, ein Ehrenwort zu halten.«

Miss Quigley nickte. Sie war hocherfreut über den Gang der Dinge, fand es aber nicht angebracht, sich auf eine Weise zu äußern, die man als Dankbarkeit auslegen könnte.

»So«, sagte Vinetta, »gestatten Sie, daß ich Ihnen noch eine Tasse Tee einschenke. Und vielleicht hätten Sie dann Lust, Googles guten Tag zu sagen. Ich weiß, daß sie entzückt wäre, *Sie* zu sehen.«

Während des ganzen Gesprächs hatte Soobie unbemerkt in seinem Sessel am Fenster gesessen. Ihn nervten die albernen So-tun-als-ob-Spiele immer noch sehr, aber er freute sich über den Ausgang, den dieses spezielle So-tun-als-ob genommen hatte. Lumpenpuppen, dachte er, haben schon genug zu leiden, auch ohne daß sie sich gegenseitig weh tun.

# 14
# Die Disko

FREI-HEIT
*Die Frei-heit ruft, Frei-heit ruft, Frei-heit ruft nach* DIR
KOMM HERAUS
*Im Mondenschein, im Sternenglanz, tanz die Nacht hindurch,*
*Tanz ist* **Lebenselixier**

Die Gruppe schaffte mehr Dezibel pro Kubikzentimeter, als es jede wissenschaftliche Studie zu diesem Thema je für möglich gehalten hätte. Mit andern Worten, die Musik war irre!

»Gefällt's dir?« fragte Tony. Dazu mußte er in die roten Haare hinunterschreien, die Applebys Stoffohr verdeckten.

Appleby versuchte gar nicht erst, darauf zu antworten. Sie nickte nur heftig und klatschte im Rhythmus mit. Im Augenblick tanzten die Gäste nicht, sondern bewegten sich nur als wogende Masse hin und her, während sie die Bühne mit der Band umringten. Appleby wurde ungeduldig. Wenn sie nicht bald auf die Tanzfläche zurückkehrten, bekam sie vielleicht keine Gelegenheit mehr zum Tanzen – zum *richtigen* Tanzen.

Ein Tänzer nach dem anderen bewegte sich auf die Tanzfläche zu, erfand in einer Welt für sich seine eigenen Schritte zum Rhythmus. Jeder tanzte allein. Appleby erreichte die Mitte der Plattform und legte los. Oh, wie sie tanzte! Zuerst machte sie ein paar graziöse Schritte, verrenkte sich dann zu einem Jitterbug und kehrte anschließend wieder zu der wiegenden Bewegung der Leute zurück, die um die Bühne standen. Und wieder von vorn, Schritte fast wie in einer Gavotte, Verrenkung, Jitterbug, die Musik den Schritten anpassen oder die Schritte der Musik, zwischendurch scherzhaft eine Figur andeuten, die direkt vom Ballett hätte stammen können. Die Geschichte des Tanzes, dargestellt von einer einzigen, biegsamen Tänzerin. Und über ihr erstrahlte die Glitzerkugel.

Neben ihr tanzte Tony, ein Stück von ihr entfernt, mit einfachen Schritten und weit weniger originell. Aber er ließ seine Partnerin nicht aus den Augen und war beeindruckt von dem, was er sah. Auch andere Tänzer schauten her, und einige versuchten sogar, diese Rothaarige mit dem wirbelnden schwarzen Rock nachzuahmen, die alle anderen in Grund und Boden tanzte. Die war vielleicht stark!

Bei einer kurzen Unterbrechung in der Musik ging sie mit Tony zum Ausruhen zu einem Tisch an der Bar. Die Gäste tranken verschiedene alkoholfreie Getränke. Tony fragte Appleby, was sie haben wollte, aber sie schüttelte nur den Kopf.

»Ich trink hier nie etwas«, sagte sie. »Ich bin allergisch gegen chemische Zusätze, und hier wird nichts verkauft, was frei von Zusatzstoffen wäre. Ehrlich gesagt hab ich auch gar keinen Durst. Aber laß dich von mir nicht abhalten, wenn du etwas trinken willst.«

Wie schon so manches Aschenputtel vor ihr, vergaß Appleby die Zeit. Die Gruppe ging von der Bühne, um Pause zu machen, und der Diskjockey legte eine alte Platte auf, eine richtig alte Schnulze, die sanft war und verträumt und sentimental. Die Lichter wurden zu einem leichten Hauch gedämpft. Zum erstenmal an diesem Abend griff Tony nach Applebys Hand.

Seine Finger berührten ... Stoff?

»Du hast ja Handschuhe an«, sagte Tony überrascht. »Das ist mir noch gar nicht aufgefallen.«

Er hatte sich schon gewundert, wieso sie ihre Sonnenbrille mit den verspiegelten Gläsern aufbehielt, war aber zu höflich gewesen, um sie danach zu fragen. Vielleicht war das jetzt ja modern. Oder es war Applebys persönliche Note, wie auch immer. Wer Appleby kannte, akzeptierte alles, was sie tat, als ihre eigene Norm. Aber die Handschuhe waren doch erstaunlich.

Sie sahen genauso aus wie Hände. Na ja, so gut man bei Diskobeleuchtung eben sehen konnte.

Appleby war erschrocken. *Sie hatte keine Handschuhe an.* Als Tony sie berührte, hatte sie ihre Hand sofort weggezogen, aber vielleicht zu spät. Was um alles in der Welt konnte sie sagen? Eine künstliche Hand, ich hab meine Hand als Kleinkind in Amerika verloren, sie wurde mir von einem Krokodil abgebissen. Unfug! Du mußt Zeit gewinnen. Ja, *natürlich* trage ich Handschuhe. Ich trage immer Handschuhe. Warum ich Handschuhe trage? Du mußt Zeit gewinnen ...

»Ich könnte dir jetzt alle möglichen Lügenmärchen erzählen«, fing Appleby an. Vorsichtig schlang sie die Hände ineinander und legte sie vor sich auf den Tisch, aber so, daß der Schatten, den ihr Kopf warf, sie verbarg. »Zum Beispiel, daß meine Augen und Hände hochgradig lichtempfindlich sind und unbedingt geschützt werden müssen – und daß von dem Trockeneis hier drin alles noch schlimmer wird. Aber die Wahrheit ist viel einfacher.« Und plötzlich wurde die einfachere Geschichte zur Wahrheit oder zumindest zu einer annehmbaren Lüge. »Ich muß meine Hände besonders pflegen, weil mich eine Model-Agentur eingestellt hat, um Werbung für Cremes und Lotionen zu machen. Meine Hände wurden schon im Fernsehen gezeigt. Die Handschuhe sind eine dünne, durchsichtige Schutzhülle. Ohne sie hätte ich mich gar nicht an einen solchen Ort gewagt.«

»Und was ist mit der Brille?« fragte Tony. Er glaubte ihr kein Wort, fand die Lügen aber amüsant und wollte noch mehr hören. Wenn eine Lüge witzig genug ist, spielt die Wahrheit keine Rolle mehr.

»Ich«, sagte Appleby übertrieben langsam, »bin eine geheimnisumwitterte Frau. Das ist mein Stil.«

Tony grinste.

Die sentimentale Melodie ging zu Ende und eine flottere begann.

»Na, dann komm, du geheimnisumwitterte Frau, zeigen wir den anderen wieder, was Tanzen heißt.«

Sie standen auf, um auf die Tanzfläche zurückzukehren. Tony schob sie vorwärts. Appleby spürte den Druck und die Wärme seiner Hand auf ihrer Schulter, und sie wußte, daß es Zeit für den Rückzug wurde. Mit einer viel einfacheren Lüge diesmal, einfacher und sicherer.

»Ich muß mal wohin. Bin gleich wieder da«, sagte sie, sauste davon und verschwand in der Menge. Tony wartete. Die Melodie ging zu Ende, aber Appleby kam nicht wieder. Aschenputtel hatte noch nicht mal ihren Schuh zurückgelassen.

Die bunten Lichter wurden heller. Die Band begann wieder zu spielen. Der Sänger schmetterte trotzige Worte in den Raum.

*Ich zische los,*
***Wohin*** *ich will, wohin ich will, wohin ich will,*
*Um . . .* FREI, FREI, FREI *zu sein!*
***Du*** *willst mich fangen? Das schaffst du nie!*
*Keiner kann das,*
NEIN, NEIN, NEIN!

Tony stand allein in der Menschenmenge, hörte zu und ahnte nicht, wie wahr der Liedtext war.

Um Viertel vor elf traf Appleby zu Hause ein. Pilbeam hatte auf sie gewartet und ließ sie heimlich zur Hintertür herein. Noch war sie nicht in Panik, jetzt noch nicht. Sie kannte Appleby zu gut, um zu erwarten, daß sie pünktlich auf der Matte stehen würde. Ganz zu schweigen von zehn Minuten zu früh! Eine Viertelstunde Verspätung war kein schlechter Schnitt.

»Komm, wir gehen gleich in mein Zimmer, dort kannst du mir alles erzählen«, sagte Pilbeam. Und so stiegen sie leise die Treppe hinauf und stellten erfreut fest, daß die Tür zum Frühstückszimmer geschlossen war.

»Du bist also wohlbehalten zurück«, sagte Pilbeam, als sie es sich in ihrem Zimmer bequem gemacht hatten. Appleby sah aber gar nicht so glücklich aus, wie es eigentlich der Fall sein müßte. Sie wirkte völlig verstört.

»Es war herrlich«, sagte sie in einem Tonfall, der in krassem Gegensatz zu ihrem Gesichtsausdruck stand. »Ich hab noch nie so was Tolles erlebt. Es war einfach super.« Aber das hielt sie nicht durch. Die Worte blieben ihr im Hals stecken, und sie fing an zu schluchzen.

»Ach, Pilbeam«, sagte sie, als sie wieder sprechen konnte, »es war entsetzlich. Ich hatte soviel Spaß wie noch nie in meinem Leben, aber plötzlich wurde mir bewußt, daß ich eine Lumpenpuppe bin. Ich konnte nicht mehr länger bleiben, sonst wäre ich entdeckt worden. Also bin ich weggerannt. Und ich war so durcheinander, daß ich auf dem Heimweg in die falsche Straße eingebogen bin und mich fast auch noch verlaufen hätte. Ich will keine Lumpenpuppe sein, Pilbeam. Ich hasse es. Ich hasse es. Ich hasse es.«

Pilbeam legte Appleby den Arm um die Schultern.

»Still«, sagte sie. »Du willst doch nicht, daß die anderen dich hören. Hör zu. An den Tatsachen kann ich nichts ändern, aber vielleicht kann ich dir helfen, mit ihnen zu leben. Wir sind Lumpenpuppen. Das trennt uns von anderen denkenden Wesen. Aber man könnte auch sagen, daß wir dadurch etwas ganz Besonderes sind. Unser Leben ist so wunderbar, weil es so etwas eigentlich gar nicht geben dürfte. *Du* bist wunderbar, Appleby Mennym. *Du* bist zauberhaft. Meine wirkliche Zeit mit dir war nur kurz, was meine Phantasie mir auch an Vergangenheit vorgaukeln mag. Und in dieser kurzen Zeit habe ich dich nicht nur lieben gelernt, sondern bewundere auch deinen Schwung und deine Lebenslust. Du bist ein ganz wichtiges Mitglied dieser Familie. Ohne dich wären wir alle viel ärmer. Du mußt lernen, dich selbst zu akzeptieren, Appleby. Und bleib so, wie du bist.«

Appleby hielt den Kopf gesenkt, um ihr Gesicht zu verbergen.

Pilbeam strich ihr übers Haar. Mehrere Minuten lang saßen sie schweigend da. Dann erzählte Appleby die ganze Geschichte, von den Briefen in der Mauer bis zur Wahrheit über die Eintrittskarte in die Disko.

Pilbeam war entsetzt, aber es gelang ihr, das nicht zu zeigen. Sie hörte sich alles an und bemühte sich um Verständnis.

»Du bist ein furchtbares Risiko eingegangen«, sagte sie, als Appleby fertig war. »Aber jetzt ist es vorbei. Du hättest entdeckt werden können, doch das ist nicht geschehen. Uns bleibt jetzt nur noch, die Scherben aufzusammeln. Noch ein letzter Brief in der Mauer, ein endgültiger Abschied. Es tut mir leid, daß es nicht anders geht, aber die Zeit heilt alle Wunden, und wir haben mehr Zeit als die meisten anderen.«

Appleby schaute auf und sagte: »Ach, Pilbeam, was würde ich nur ohne dich tun? Trotzdem, es tut immer noch weh, wenn ich daran denke. Wenn ich keine – wenn ich nicht so wäre, wie ich bin, hätte ich mich verlieben können. Seine Augen waren blau, ein tiefes, tiefes Blau, und sein Lächeln war warm und freundlich. Und – ach, es hat soviel Spaß gemacht, mit ihm zusammenzusein.«

»Ich weiß«, sagte Pilbeam, »ich weiß.«

Und das stimmte.

In der Ruhe, die dann eintrat, entwarfen sie einen Brief, der in der Mauer hinterlegt werden sollte, ein stiller kleiner Brief, in dem Appleby sich dafür entschuldigte, daß sie die Disko so überstürzt verlassen hatte (*mein Bruder ist unerwartet aufgetaucht, um mich nach Hause zu holen, und ich konnte Dich nirgends finden*). Dann stand noch darin, daß ihre Eltern beschlossen hätten, sie für ein Jahr aufs europäische Festland zu schicken. (*Ich werde also nicht mehr dasein, wenn Du das nächste Mal aus Harrogate kommst.*)

Gemeinsam gingen sie zur Mauer, um den Brief in die Ritze zu legen.

Am nächsten Abend saß Appleby von sieben Uhr bis Mitternacht im Wohnzimmer und hielt nach Tony Ausschau. Soobie wunderte sich über das traurige Gesicht seiner Schwester, sagte aber nichts. Als er aus dem Zimmer ging, wechselte Appleby von ihrem Stuhl in seinen Sessel. Während die lange Dämmerung in Dunkelheit überging, wurde sie immer unglücklicher. Es war ja gut und schön, tapfer darüber zu reden, was man alles akzeptieren muß. Aber Tapferkeit verbirgt nur den Schmerz und heilt ihn nicht.

Tony kam nicht. Am nächsten Morgen fuhr er nach Harrogate zurück, das wußte Appleby. Würde er je von dem Brief erfahren? Würde es ihn interessieren?

Als Tony in der Disko stehengelassen wurde, war er zuerst verwirrt und dann verärgert gewesen. Er war zum Flipper an der Bar zurückgekehrt, weil ihm das am vernünftigsten erschien. Dann war er in der Halle einmal rundherum gegangen und hatte über das Chromgeländer geschaut, ganz so, wie Appleby es bei ihrem früheren Besuch gemacht hatte. Aber von seiner Partnerin war weit und breit nichts zu sehen. Er dachte daran, wie unbeholfen er tanzte und wie großartig sie das konnte. Dann fielen ihm ihre Geschichten ein, die offensichtlich gelogen waren, und ihm wurde bewußt, daß er sie gar nicht kannte. Sie war ein dummes Ding, das dumme Spielchen trieb. Das war's dann, dachte er, während er auf dem Heimweg nach einer Dose trat, die ihm in die Quere kam. Soll sie doch jemand anderes zum Narren halten!

Aber sein Ärger verbarg nur den Schmerz darüber, daß seine Liebe verschmäht worden war. Lumpenpuppen sind nicht die einzigen, die verletzt werden können.

# 15
# Ein Ausflug in den Park

Der große grüne Kinderwagen war zwanzig Jahre alt. Vinetta hatte ihn aus einem von Tulips unzähligen Katalogen bestellt. Die ersten siebzehn Jahre seines Lebens war er nur in den Garten geschoben worden. Vinetta hätte es nicht gewagt, Googles auszufahren. Sie hatte Googles überhaupt nie auf die Straße mitgenommen. Ihr war von Anfang an klargewesen, daß Babys auch in einer noch so ruhigen und gesitteten Gegend Aufmerksamkeit erregen. Erst als Miss Quigley die Funktion einer Kinderfrau übernahm, hatten echte Besuche in den echten Park stattgefunden. Denn Miss Quigley vertraute voll und ganz darauf, daß ihre eigene Unauffälligkeit sich in allen erdenklichen Situationen auch auf das Baby im Wagen übertragen würde.

Als Miss Quigley ihre Pflichten als Kinderfrau wiederaufnahm, machte sie gleich als erstes an einem schönen Maimorgen mit Googles einen Ausflug in den Park. Von rosa Seidenkissen gestützt, saß Googles vergnügt lächelnd unter dem Sonnenschirm und rasselte mit ihrem Lieblingsbären aus Plastik.

Miss Quigley schob den Wagen aus dem Grove und schlug die entgegengesetzte Richtung ein. Dieser Umweg war notwendig, um den Parkbesuch zu einem vollen Erfolg zu machen. Sie überquerte die große Straße und bog in eine Seitenstraße ab, die zum Markt führte. Da Donnerstag Markttag war, wimmelte es dort von Menschen. Miss Quigley ging nicht über den Markt. Der Kinderwagen wäre zu sehr aufgefallen, wenn sie den Versuch unternommen hätte, ihn die Gänge zwischen den Ständen auf und ab zu schieben. Der einzige Stand, für den Miss Quigley sich interessierte, war eine kleine Bäckerbude am Rand des ganzen Komplexes. Dort kaufte sie einen flachen, kleinen Brotfladen. Als das erledigt war, schlug sie den Weg zum Park ein.

Die Wärme und der Sonnenschein hatten ein paar zusätzliche Besucher angelockt, aber es war ein Schultag, daher waren keine schulpflichtigen Kinder da. Miss Quigley schob den Wagen den breiten Weg zum See hinunter. Sie ging am Spielplatz vorbei, wo ein paar junge Mütter sich auf ihre eigenen Babys und Kleinkinder konzentrierten, sie auf Schaukeln anstießen und Karussells drehten. Als nächstes kam sie zum Bootshaus mit den Ruderbooten. Dahinter erstreckte sich ein eingefriedetes Gelände mit zwei Ziegen, die hoffnungsvoll über den Drahtzaun schauten. Miss Quigley setzte Googles aufrecht hin, damit sie zusehen konnte. Dann brach sie kleine Stücke von dem Brot ab und fütterte die Ziegen. Googles beugte sich vor und klatschte in die Hände.

Anschließend gingen sie rund um den See zur anderen Seite. Jetzt waren die Enten und Schwäne an der Reihe, Miss Quigleys Gaben zu empfangen. Googles, die jetzt mutiger wurde, reckte sich über den Rand des Kinderwagens, um dabei zuzuschauen. Miss Quigley gab ihr einen Brotbrocken und half ihr, ihn zu werfen.

»Schau dir nur diesen gierigen Kerl an«, sagte sie und zeigte auf einen Enterich, der die anderen Vögel beiseite drängte, um selbst den Löwenanteil der Brocken zu ergattern.

Als alles Brot verfüttert war, gingen sie an den Tennisplätzen vorbei und unter dem steinernen Torbogen hindurch, der zu der Grünfläche rund um den Orchesterpavillon führte. Googles, die langsam müde wurde, lehnte sich zurück und schlief ein.

Hier war die ruhigste Ecke des Parks. Miss Quigley zog die Bremse am Kinderwagen an, setzte sich auf eine gut abgeschirmte Bank und holte eine alte Taschenbuchausgabe von *Rasselas* hervor, dem Klassiker von Samuel Johnson. Die Normalität war wieder eingekehrt. Welch ein Segen!

Um Punkt halb zwölf klappte Miss Quigley ihr Buch zu und machte sich auf den Heimweg. Sie nahm den langen Weg nach Hause, durch den Seiteneingang und die stille Allee entlang. So friedlich, wie es hier war, konnte man kaum glauben, daß die Stadt nur knapp eine halbe Meile entfernt war.

Doch als Miss Quigley sich der belebteren Gegend um den Brocklehurst Grove näherte, wurde ihr plötzlich unbehaglich zumute. Unruhe überkam sie, so als könnte sie doch noch bemerkt werden. Das war ein ungewöhnliches, furchterregendes Gefühl. In ihrer ganzen Zeit als Kinderfrau war ihr so etwas noch nie passiert. Sie ging schneller und umklammerte den Kinderwagengriff fester als sonst. Als sie zur Nummer 5 kam, schob sie als zusätzliche Vorsichtsmaßnahme den Wagen rückwärts durch das Gartentor, damit Googles durch das Verdeck des Wagens und den Sonnenschirm vor neugierigen Augen geschützt war. Die Vorderräder des Wagens waren auf dem Vorgartenweg und die Hinterräder noch auf dem Bürgersteig, als Googles plötzlich aufwachte und mit einer schnellen Bewegung ihren rosa Plastikbären auf den Boden warf.

»Dem Baby ist die Rassel heruntergefallen«, sagte Anthea Fryer, die wie aus dem Nichts plötzlich auftauchte. Erschrocken streckte Miss Quigley ihre behandschuhte Hand aus, nahm den Bären und sagte: »Vielen Dank.«

»Wie alt ist sie denn?« fragte Anthea, da sie davon ausging, daß der rosa Sonnenschirm ein Mädchen verbarg. Sie kam näher und beugte sich vor, um unter das Verdeck zu schauen.

In dringlichem Tonfall sagte Miss Quigley: »Sie sollten Abstand halten, meine Liebe. Das Baby hat Keuchhusten.«

Googles, die jetzt hellwach war, hörte das Wort »Keuchhusten«. Das löste in ihr eine Reaktion aus, weckte ein So-tun-als-ob, das über vierzig Jahre lang geruht hatte. Einen Augenblick lang hielt Googles die Luft an, und dann stieß sie ein täuschend echtes Husten aus, das sich zu einem eindeutigen Keuchen steigerte. Sie hatte keine Ahnung davon, daß sie mit ihrem Husten die verzweifelte Lüge ihrer Kinderfrau unterstützte.

»Armes kleines Ding«, sagte Anthea. »Hoffentlich wird sie bald wieder gesund.« Dann wandte sie sich eilig ab und sagte nichts mehr.

Mehr war nicht geschehen. Aber es war schon mehr als genug.

Völlig verängstigt betrat Miss Quigley das Haus. Ohne ihre Geistesgegenwart wäre ihr Geheimnis unweigerlich entdeckt worden. Aber der Schuß konnte nach hinten losgehen. Das war ihr bewußt geworden, kaum daß sie ihre Lüge ausgesprochen hatte.

»Ich habe mich für unsichtbar gehalten«, sagte sie zu Vinetta. »Bis heute habe ich wirklich geglaubt, daß niemand von mir Notiz nimmt.«

»Das Baby in Nummer 5 hat Keuchhusten«, erzählte Anthea Connie Witherton. »Komisch, daß man es dann ausfährt. Das sind merkwürdige Leute. Es würde mich nicht wundern, wenn sie nicht mal einen Arzt geholt haben.«

»Das müssen sie«, sagte Connie. »Keuchhusten ist eine meldepflichtige Krankheit. Aber ich glaube nicht, daß ein Kind deshalb im Haus bleiben muß. Und wir haben so schönes Wetter. Trotzdem, ich frag mal bei meiner Freundin Sarah nach, wenn sie das nächste Mal vorbeischaut.«

Abgesehen davon, daß Sarah mit Connie befreundet war, arbeitete sie nämlich als Gesundheitsberaterin und war für diese Gegend zuständig.

*Lügen haben kurze Beine.*

# 16
# Die Nachbarn

Wie hatten sie es nur geschafft? All die Jahre unerkannt zu bleiben, so zu leben wie eine völlig normale Familie? Wenn man die Welt jenseits von Brocklehurst Grove bedenkt, ist das gar nicht so schwer zu verstehen. Die Menschen sind viel zu sehr mit ihren eigenen Angelegenheiten beschäftigt, um auf Leute zu achten, die sie nicht kennen. Ausgenommen sind diejenigen, die – absichtlich oder aus Versehen – auf sich aufmerksam machen oder sich, mit den Worten von Sir Magnus, zu weit aus dem Fenster lehnen. Die Mennyms waren Weltmeister darin, die Köpfe einzuziehen.

In der Trevethick Street, die Miss Quigley sich ausgedacht hatte, plauderten die Nachbarn miteinander und hatten ein mehr oder weniger freundliches Auge auf die Leute von nebenan. Aber Brocklehurst Grove gehörte zur oberen Preisklasse des vorstädtischen Häusermarkts. Die Menschen, die hier wohnten, waren genauso unterschiedlich wie sonstwo auf der Welt, aber es herrschte eine generelle Atmosphäre der Überlegenheit, des Gefühls, daß es unschicklich war, zu engen Kontakt mit den Nachbarn zu halten. Der Kampf letztes Jahr zur Rettung von Brocklehurst Grove war der traurige Beweis dafür gewesen. Die Versammlungen im Haus Nummer 9 waren nur widerstrebend besucht worden, und die Unterstützung war immer halbherzig geblieben.

Jane und Eliza Proud, die in Nummer 1 wohnten, hatten ihren Neffen Bobby zu allen Treffen geschickt, waren aber nicht im geringsten daran interessiert gewesen, was dort vorging. »Für so etwas sind wir zu alt«, sagten sie. »Ich versteh nicht, wieso man uns nicht in Ruhe lassen kann.«

Die Richardsons aus Nummer 2 waren entgegenkommender gewesen, weil sie sich größere Sorgen machten. Sie waren erst zwei Jahre zuvor hierhergezogen, und obwohl ihre Familien ihnen geholfen hatten, mußten sie hohe Hypotheken abzahlen. Sie waren ein sehr ungewöhnliches Paar mit idealistischen Vorstellungen, die sie still für sich hegten – erst Mitte Zwanzig, aber sie hofften, die nächsten vierzig Jahre im Brocklehurst Grove bleiben zu können, um eine Familie zu gründen und der nächsten Generation sowie der übernächsten ihre Liebe zu schenken. Auch sie waren erleichtert, als alles vorüber war und sie sich wieder darauf beschränken konnten, ihren Nachbarn im Vorbeigehen zuzunicken. Dabei waren sie gar nicht unfreundlich, sondern nur schüchtern. Sie hielten alle in der Straße für reicher und vornehmer und wichtiger, als sie selbst es waren.

Der Eigentümer der Nummer 3 ließ sich auf den Versammlungen kein einziges Mal blicken. Ebenezer Paris Dingle war ein sehr, sehr wichtiger Mann, viel zu bedeutend, um sich in Lokalangelegenheiten zu engagieren. Sein teures Auto gehörte zu den Dingen, durch die sich die Richardsons in ihren jugendlichen Minderwertigkeitskomplexen bestätigt fühlten. Ein Umzug stellte für Ebenezer Paris Dingle kein Problem dar. Ihm war es egal, ob der Grove abgerissen wurde oder nicht. Seit er erwachsen war, hatte er den größten Teil seines Lebens damit verbracht, in dieser kleiner werdenden Welt von einem Ort zum anderen zu ziehen.

Im Haus Nummer 4 wohnten die Jarmans. Sie lebten am längsten hier in der Straße, schon fast dreißig Jahre. Kurz nach ihrem Einzug hatte der Briefträger einen Brief an Sir Magnus

Mennym an der falschen Tür eingeworfen. Die Jarmans, sehr nette Leute, sahen darin eine gute Gelegenheit, ihre Nachbarn kennenzulernen. Sie hatten ihren Sohn Oswald zu ihnen geschickt, um den Brief zu überbringen. Der Junge hatte keine große Lust dazu, aber er klingelte und hoffte dabei, daß niemand aufmachen würde. Es machte auch niemand auf. Oswald warf den Brief in den Kasten der Mennyms und ging nach Hause.

Die Mennyms hatten keine Geheimnummer. Ein Versäumnis hatte ihnen eine Eintragung im Telefonbuch eingebracht, zwischen *Menning* und *Menown*. Am nächsten Tag schlug Mrs. Jarman die Nummer nach und rief an.

»Ja?« sagte Sir Magnus, der am Telefon neben seinem Bett den Hörer abgenommen hatte.

»Guten Tag«, sagte Mrs. Jarman. »Ich bin Ihre neue Nachbarin, Millie Jarman. Könnten Sie mir vielleicht sagen, an welchem Tag die Müllabfuhr kommt? Wir haben so viel Verpackungsmaterial, das entsorgt werden muß. Sie wissen ja, wie das ist ...«

Sir Magnus ignorierte die Frage, auf die er ohnehin keine Antwort wußte.

»Ich hoffe, Sie fühlen sich wohl in Ihrem neuen Heim«, sagte er. »Es ist eine ruhige Straße. Niemand wird Sie behelligen. Wir sind hier alle sehr zurückhaltend. So ist es am besten. Wie das Sprichwort sagt, machen gute Zäune gute Nachbarn.«

Er legte geräuschvoll den Hörer auf, und damit war die Sache erledigt. Mrs. Jarman hatte das peinliche Gefühl, eine Abfuhr erhalten zu haben. Die nächsten zwanzig Jahre behelligte sie niemanden mehr in der Straße.

Dann zogen die Englands in die Nummer 6. Wieder wurde ein Brief falsch eingeworfen.

»Ja?« sagte Mrs. Jarman, als sie den Hörer abnahm.

»Guten Tag«, sagte Mrs. England nervös. »Entschuldigen Sie, aber wir haben einen Brief bekommen, der an Sie gerichtet ist. Der Briefträger hat ihn versehentlich bei uns eingeworfen, und der Hund hat ihn erwischt. Es tut mir wirklich sehr leid. Der Brief wurde nicht zerrissen oder so, aber er hat ein paar Spuren davongetragen.«

Mrs. Jarman, die auch nach all den Jahren noch eine nette Frau war, lächelte in die Sprechmuschel.

»Sie haben mir gar nicht gesagt, wie Sie heißen«, sagte sie.

»Du meine Güte, nein, das hab ich ganz vergessen. Ich heiße Wendy, Wendy England. Wir sind gerade hier in Nummer 6 eingezogen. Soll ich Ihnen den Brief vorbeibringen? Ich hätte ihn sofort bei Ihnen in den Kasten geworfen, aber ich dachte, daß ich Ihnen für die Hundespuren eine Erklärung schulde.«

»Kommen Sie doch jetzt gleich vorbei, wenn Sie wollen«, sagte Mrs. Jarman. »Kommen Sie und trinken Sie einen Kaffee mit mir. Wir müssen uns doch kennenlernen.«

Und so begann ihre Freundschaft.

In der Nummer 7 hatte eine ganze Reihe von Mietern gehaust, Angestellte einer großen Firma, die Wert auf Mobilität legte. Das Haus gehörte der Firma. Die Mieter rechneten jederzeit damit, versetzt zu werden, die Karriereleiter hinauf. Nigel und Dorcas Butterfield wohnten seit über einem Jahr hier, ohne auch nur ein einziges Wort mit jemandem aus der Nachbarschaft gewechselt zu haben. Gelegentlich veranstalteten sie eine Grillparty hinten im Garten, aber die Nachbarn wurden nicht eingeladen.

Die Davidsons bewohnten seit sieben Jahren die Nummer 8. Sie hielten sich von Fremden fern und fühlten sich in ihrem eigenen Kreis wohl. Bernie Davidson hatte die Protestversammlungen in Nummer 9 besucht, aber das war schwierig gewesen. Er war ein weltfremder Mensch, der sich mit Geschichte beschäftigte und in seinem eigenen Leben auf eine lange, traurige Geschichte zurückblicken konnte. Zusammen mit seiner Frau und den Kindern hatte er vom Fenster aus zugesehen, als Miss Fryer aufs Dach geklettert war, um das siegverkündende

Spruchband an den Schornstein der Nummer 9 zu binden. Für sie war eine solche Szene unfaßbar. Aber lustig. Bernie verzog den Mund zu einem langsamen Lächeln.

»Also, Becky«, sagte er zu seiner Frau, »ich glaube, jetzt haben wir alles gesehen, was es so gibt!«

Bei sieben Familien konnte man sich sicher sein, daß sie die Bewohner der Nummer 5 unbeobachtet ließen. Aber Anthea Fryer, die Mieterin mit dem scharfen Blick aus der Nummer 9, machte die Gleichgültigkeit der anderen mehr als wett.

# 17
## Im Kinderzimmer

Die anderen dürfen nichts davon erfahren, Hortensia«, sagte Vinetta, als sie sich mit Miss Quigley auf dem großen Sofa im Kinderzimmer niedergelassen hatte. Googles lag in ihrem Bettchen und betrachtete ein Mobile mit Teddybären, die sich in der Luft über ihr drehten. Es war der Tag nach Hortensias Begegnung mit Anthea Fryer. Die Nachmittagssonne schien durch das Fenster, das zum Vorgarten hinausging.

»Wir werden natürlich auf der Hut sein«, fuhr Vinetta fort, »und Googles muß im Haus bleiben. Aber abgesehen davon kann alles so weitergehen wie bisher.«

Zu dieser Entscheidung hatten sie sich nicht so leicht durchgerungen. Am Vortag, als Hortensia hereingekommen war, hysterisch und kaum verständliche Worte stammelnd, hatte Vinetta Googles ins Bett gesteckt und ihre Kinderfrau geradewegs in ihr Zimmer geschickt, damit sie sich hinlegte.

»Sagen Sie niemandem etwas«, hatte sie Hortensia gebeten, »jetzt noch nicht. Ich brauche Zeit zum Nachdenken.«

Sie hatte sogar mit einer jahrelangen Gewohnheit gebrochen und nicht einmal Joshua eingeweiht.

»Wenn Magnus davon erfährt«, erklärte sie Hortensia, »würde er wieder den Belagerungszustand ausrufen, und das wollen wir doch beide nicht! Also behalten wir es für uns.«

»Werden die anderen sich nicht wundern, wieso ich das Baby nicht mehr ausfahre?« fragte Hortensia. Sie wollte sichergehen, daß auch wirklich alles bedacht wurde.

»Ich glaube nicht, daß sie überhaupt etwas merken werden«, sagte Vinetta. »Und selbst wenn – na und? Es geht sie nichts an.« Die beiden Frauen hatten sich für ihre Diskussion bewußt ins Kinderzimmer zurückgezogen, wo sie darauf hoffen konnten, ungestört zu bleiben.

»Ich mache mir immer noch Sorgen wegen meine Lüge«, sagte Hortensia. »Das könnte böse Folgen haben. Keuchhusten ist ansteckend. So etwas macht den Leuten angst.«

»Wo steckt deine Mutter denn jetzt wieder?« erkundigte sich Granny Tulip bei Soobie, der an seinem angestammten Platz am Fenster saß.

Er schaute von seinem Buch auf und sagte: »Ich glaube, sie ist mit Miss Quigley im Kinderzimmer.«

Tulip suchte das Kinderzimmer nur selten auf, aber sie hatte einen sechsten Sinn dafür, wenn etwas hinter ihrem Rücken vor sich ging.

»Na«, sagte sie, als sie hereinkam, »was war denn heute so alles los?«

Miss Quigley machte ein unbehagliches Gesicht.

Vinetta hatte sich jedoch gut in der Gewalt. »Alles wie immer«, antwortete sie. »Wieso, ist etwas passiert?«

»Nicht, daß ich wüßte«, sagte Tulip und musterte Vinetta über den Goldrand ihrer Brille hinweg. »Ich habe nur so ein Gefühl, daß jemand etwas im Schilde führt.«

»Also, ich nicht«, sagte Vinetta lächelnd. »Und Hortensia noch viel weniger.«

Unglücklicherweise entschloß sich Googles genau in diesem Augenblick, ihr neu entdecktes Talent zur Schau zu stellen. Sie stieß ein grauenhaftes Husten aus, das in einem bedrohlichen Keuchen endete.

»Was um alles in der Welt ...?« sagte Tulip. »Das Kind hört sich an, als hätte es Keuchhusten.«

Vinetta ging in die Offensive.

»Bleib auf dem Teppich, Tulip. Vergiß nicht, was wir sind. Das ist einer unserer Vorteile – Mennyms kriegen weder Keuchhusten noch sonst einen Husten. Wir sind von Natur aus immun!«

Tulip sah sie mißtrauisch an. In den letzten Jahren hatte ihre Schwiegertochter zunehmend eine eigene Meinung entwickelt, war im Denken immer unabhängiger geworden. Das große Trauma von Sir Magnus, die Fahrt aufs Land, zu der die Familie gezwungen gewesen war, hatte sie alle unmerklich verändert.

»Wieso hat Googles dann gehustet?« sagte Tulip, die fest entschlossen war, bei der Sache zu bleiben.

»Es ist ein So-tun-als-ob«, sagte Vinetta. Hortensia schaute voller Besorgnis zu.

Die Nachmittagssonne fiel in schrägen Strahlen durchs Fenster. Googles griff nach den Schatten der Teddybären, die über die holzvertäfelte Seitenwand ihres Bettchens tanzten. Ihr schien ein weiteres Keuchen angebracht, und so stieß sie es hervor.

»Wo hat sie dieses So-tun-als-ob her?« fragte Tulip beharrlich weiter. »Sie ist noch viel zu klein, um sich so etwas selbst auszudenken. Jemand muß ihr diese Idee in den Kopf gesetzt haben.«

Vinetta wurde zornig. Mit welchem Recht schnüffelte Tulip hier herum?

»Ich weiß nicht, wo sie das herhat«, sagte Vinetta in scharfem Tonfall, »und es ist mir auch egal. Es ist ein So-tun-als-ob, und fairerweise müssen wir dabei mitmachen. Meine Tochter ist ein sehr aufgewecktes Baby mit einer lebhaften Phantasie. Ihr steht ein So-tun-als-ob genauso zu wie den anderen in der Familie.«

Streitereien bei den Mennyms liefen ab wie die Tempi in

einem Musikstück. Auf Vinettas Crescendo folgte ein gedämpfter Ton, leise und verhalten, aber irgendwie sehr überlegen.

»Du hast natürlich völlig recht«, sagte Tulip mit eisiger Stimme, die genau das Gegenteil zum Ausdruck brachte. »Der Hundert-Tage-Husten – ich glaube, so nennen ihn die Chinesen. Wollen wir das Baby jetzt hundert Tage lang krank sein lassen?«

Spott hin oder her. Sowohl Vinetta als auch Hortensia fanden die Idee einfach genial. Das war das ideale So-tun-als-ob, genau der Deckmantel, den sie brauchten, um erklären zu können, warum Googles außer Sicht blieb.

»Und selbstverständlich«, sagte Miss Quigley in ihrem allerbesten Kinderfrau-Tonfall, »müssen wir die Quarantäne einhalten. Wir wollen ja nicht, daß die anderen Kinder sich anstecken.«

Tulip, der immer noch unbehaglich zumute war, sagte weiter nichts dazu.

»Es ist so ein schöner Tag«, sagte sie mit einem Blick aus dem Fenster. »Da wäre es ein Jammer, im Haus zu bleiben. Ich glaube, ich nehme mein Strickzeug mit in den Garten.«

Eine hochgewachsene Frau mit kurzen, drahtigen grauen Haaren ging mit großen Schritten am Gartentor vorbei. Tulip nahm sie kurz wahr, interessierte sich aber nicht weiter für sie. Es handelte sich schließlich nur um eine Fremde, die am Haus vorbeiging.

Niemand im Haushalt der Mennyms kannte Sarah Benson, die Gesundheitsbeauftragte.

# 18
# Eindringlinge

Sarah schaute in der Nummer 9 vorbei, um ihre Freundin zu besuchen, Connie Witherton. Sie kannten sich noch aus der Schulzeit und hatten sich, als die Fryers vor nahezu fünf Jahren in den Brocklehurst Grove gezogen waren, über das Wiedersehen sehr gefreut.

»Meine Füße bringen mich noch um«, sagte Sarah, als sie sich in einen von Connies tiefen Lehnstühlen sinken ließ. »Heute muß ich meilenweit gelaufen sein.«

»Ich hatte gehofft, daß du auf einen Sprung vorbeikommst«, sagte Connie.

»Von Springen kann keine Rede sein«, sagte Sarah und machte es sich bequem.

Während sie wie gewohnt Kaffee tranken, erzählte Connie von Antheas Befürchtung, daß das Baby aus der Nummer 5 Keuchhusten hatte und nicht die nötige Behandlung und Fürsorge erhielt.

»Ich glaube nicht, daß es wirklich einen Anlaß zur Besorgnis gibt, aber wenn sich Anthea etwas in den Kopf setzt, kommt man nur schwer dagegen an. Ich hätte gedacht, das würde sich jetzt bessern, wo sie doch Hochzeitspläne schmiedet, aber offenbar lassen sich alte Gewohnheiten nur schwer ablegen.«

Sarah wirkte nicht sonderlich besorgt. Aus professioneller

Sicht war das eine Lappalie. Lediglich aus Freundschaft war sie bereit, sich näher damit zu befassen.

»Die Leute hier in der Gegend sorgen in der Regel sehr gut für ihre Sprößlinge«, sagte sie, »aber ich werde für alle Fälle mal sehen, was ich in Erfahrung bringen kann. Wie heißt die Familie?«

»Mennym«, sagte Connie und buchstabierte den Namen. Sie hatte diesen Namen und seine merkwürdige Schreibweise erst durch die Petition kennengelernt, als es darum ging, den Brocklehurst Grove vor den Stadtplanern zu retten.

In ihrem Büro stellte Sarah fest, daß im Computer keine Patienten namens Mennym gespeichert waren. Am nächsten Tag kam sie am frühen Nachmittag vorbei und erzählte Connie davon. Anthea gesellte sich zu ihnen.

»Mit der Familie stimmt etwas nicht«, sagte sie. »Das habe ich auf Anhieb gemerkt, als wir hierhergezogen sind.«

Das entsprach zwar nicht so ganz der Wahrheit, aber im Augenblick war Anthea fest davon überzeugt.

»Wir dürfen keine voreiligen Schlüsse ziehen«, sagte Sarah. »Sie sind vielleicht bei einem Arzt in einem anderen Wohnbezirk registriert, oder vielleicht heißt das Baby nicht Mennym.«

Anthea setzte eine störrische Miene auf.

»Du kennst sie nicht so gut wie wir«, sagte sie. »Die ganze Familie hat etwas sehr Merkwürdiges an sich.«

»Wenn es dich beruhigt«, sagte Sarah, »gehe ich zu ihnen, stelle mich vor und ziehe ein paar höfliche Erkundungen ein. Mehr kann ich nicht tun.«

Und so ging Sarah, befangen, wie sie es bei ihren Besuchen schon seit Jahren nicht mehr gewesen war, den Vorgartenweg zur Haustür von Nummer 5 hinauf und drückte auf die Klingel. Im Haus lief bereits die Unerwünschter-Besuch-Routine ab.

Soobie hatte die Fremde durchs Gartentor kommen sehen, eine amtlich wirkende Frau in schlichter dunkelblauer Kleidung, die fast wie eine Uniform aussah. Rasch erhob er sich aus seinem Sessel und ging zu seiner Mutter in die Küche.

»Da ist eine Frau an der Haustür«, sagte er. »Du mußt dich zum Öffnen bereitmachen.«

Sie hatten eine Strategie, die seit vielen, vielen Jahren erfolgreich funktionierte. Privatbesuch gab es nicht, aber Leute, die in amtlicher Funktion ins Haus kamen, wie etwa der Stromableser, mußten manchmal eingelassen werden. Dabei wurde stets eine strenge Prozedur eingehalten: Sichtbarkeit reduzieren, Kontakt vermeiden und möglichst mit der Holztäfelung verschmelzen.

Vinetta setzte ihre Brille mit den getönten Gläsern auf und machte sorgfältig alle Türen zu, die vom Flur abgingen. Soobie ging in sein Zimmer und ließ unterwegs an den Fenstern am Treppenabsatz die Rollos herunter. Der Flur wurde in Dunkelheit gehüllt.

Es klingelte.

Wartend stand Sarah vor der Tür und sah sich neugierig nach allen Seiten um. Wie die ganze Straße machte auch dieses Haus einen wohlhabenden, gepflegten und unantastbaren Eindruck. Sarah wollte schon wieder gehen, als die Tür einen Spalt geöffnet wurde und eine Stimme »Ja?« sagte.

Sarah, die sich sehr fehl am Platz vorkam, lugte ins Haus hinein. Eine Frau von durchschnittlicher Größe und Figur mit dunklen Haaren und Brille stand im düsteren Flur. Mit einer Hand hielt sie energisch die Haustür fest, und ihre ganze Haltung besagte sehr deutlich: bis hierher und nicht weiter.

»Mein Name ist Sarah Benson«, sagte die Besucherin mit freundlicher Stimme. »Ich bin die Gesundheitsbeauftragte für diese Gegend, und ich glaube, Sie haben ein Baby mit Keuchhusten. Wenn ich Ihnen auf irgendeine Weise mit Rat und Tat behilflich sein kann, brauchen Sie es nur zu sagen. Ich weiß, wie besorgniserregend so etwas ist, vor allem bei einem so kleinen Kind.«

Vinetta schnappte nach Luft. In ihrer Panik verlegte sie sich auf verzweifeltes Leugnen.

»Ich habe kein Baby«, sagte sie. »In diesem Haus gibt es keine Babys.«

Damit hatte Sarah nicht gerechnet. Soviel sie wußte, stand unzweifelhaft fest, daß es in der Nummer 5 ein Baby gab, das an Keuchhusten litt. Hätte Vinetta gesagt, daß Dr. Sowieso sie betreute und keine weitere Hilfe nötig war, hätte sich Sarah damit voll und ganz zufriedengegeben. So aber war sie total verdutzt.

Vinetta faßte sich als erste wieder.

»Sie meinen wahrscheinlich das Kind meiner Schwester. Sie waren ein paar Tage hier, und es stimmt, das Baby hatte einen sehr schlimmen Husten. Er war so schlimm, daß sie den Besuch abgekürzt haben und wieder nach Hause gefahren sind.«

»Gibt es noch weitere Kinder hier im Haus?« fragte Sarah, deren berufliches Interesse jetzt geweckt war. »Sie wissen ja sicher, daß Keuchhusten ansteckend ist.«

»Keine anderen Kinder«, sagte Vinetta. »Und ich weiß auch gar nicht, ob es wirklich Keuchhusten war. Wir haben nur überlegt, daß es so etwas sein könnte. Inzwischen haben sie das bestimmt schon von ihrem Hausarzt abklären lassen. Und wenn Sie mich jetzt bitte entschuldigen wollen, ich muß gehen. Das Telefon klingelt.«

Mit diesen Worten machte sie die Tür zu.

»Sie hat gelogen«, sagte Anthea. »Ich bin mir ganz sicher, daß sie gelogen hat. Dort sind immer Kinder. Und Jugendliche. Ich habe sie mit eigenen Augen gesehen. Warum hat sie dich belogen?«

Sarah Benson hatte jahrelange Erfahrung damit, Leute in allen möglichen Umgebungen aufzusuchen.

»Das spielt keine Rolle«, sagte sie. »Das Haus ist tadellos in Schuß. Die Frau macht einen fähigen Eindruck. Selbst wenn sie lügt, ist das ihr gutes Recht. Sie hat mich als unerwünschten Eindringling angesehen und mich abgewiesen. Und wenn du darüber nachdenkst, wirst du zugeben müssen, daß ich kaum ein Recht hatte, überhaupt hinzugehen.«

Connie gab ihr recht. Anthea schaute die älteren Frauen gereizt an. Die beiden ließen sich viel zu leicht abspeisen. Leute, dachte sie, sollten nicht ungestraft lügen dürfen. Leute, dachte sie, lügen nur dann, wenn sie etwas zu verbergen haben.

Nachdem Sarah gegangen war, stieg Anthea ins Wohnzimmer im Obergeschoß hinauf. Dort setzte sie sich ans Fenster und schaute zur Nummer 5 hinüber, dem geheimnisumwitterten Haus.

Es war drei Uhr nachmittags. In keinem Haus in der Straße rührte sich etwas. Antheas Gedanken lagen auf der Lauer und suchten nach Beute. Dann kam ihr die Erleuchtung. Man mußte Feuer mit Feuer bekämpfen und Lügen mit Lügen. Sie griff zum Telefon.

»Hallo«, sagte sie. »Ist dort Mr. Mennym?«

»Hier spricht Sir Magnus Mennym«, sagte die Stimme am anderen Ende der Leitung. »Möchten Sie meinen Sohn sprechen?«

Die Stimme war herrisch, gewichtig und einschüchternd.

Anthea räusperte sich und sagte: »Hier ist die Schulbehörde von Castledean. Ich bin Miss Brown. Wir führen eine Erhebung durch, um den Schulbedarf für die nächsten zehn Jahre besser einschätzen zu können. Würden Sie mir bitte Auskunft darüber geben, wie viele Kinder im schulpflichtigen Alter oder darunter in Ihrem Haushalt leben und welche Bildungseinrichtungen sie, wenn überhaupt, be…«

Sir Magnus fiel ihr ins Wort.

»Nein«, sagte er. Sehr laut. Und er knallte den Hörer auf die Gabel.

Anthea machte ein entsetztes Gesicht. Connie, die während ihres Telefonats hereingekommen war, schaute genauso entsetzt drein, allerdings aus ganz anderen Gründen.

»Anthea Fryer! Wie kannst du nur so tief sinken! Und du

wagst es, andere Leute der Lüge zu bezichtigen! Du brauchst gar nicht so zu tun, als würdest du aus echter Sorge handeln. Wir wohnen seit fünf Jahren hier, und bevor es letztes Jahr zur Krise kam, haben wir die Nachbarn kaum wahrgenommen. Was sie tun oder lassen, geht uns nichts an. Du könntest dir ernsthaften Ärger damit einhandeln, daß du dich als behördlich befugt ausgegeben hast. Selbst wenn man von allen anderen Überlegungen absieht, ist das Amtsanmaßung, und die ist gesetzlich verboten.«

Anthea betrachtete Connies strenge Miene und schämte sich. Außerdem war es ihr peinlich, wieder mal voll ins Fettnäpfchen getreten zu sein! Sie biß sich auf die Lippe. Ein Teil von ihr war eine unreife Schülerin geblieben, und Connie hatte eine ziemliche Ähnlichkeit mit Miss Fenwick, bei der man immer schlotternde Knie bekam.

»Es war unüberlegt«, sagte sie. »Aber ich fand die Idee einfach gut und hab nicht weiter darüber nachgedacht. Ach, Connie, warum mache ich nur immer so blöde Sachen?«

Connie seufzte, aber auf freundliche Weise.

»Eines Tages wirst du schon noch erwachsen werden«, sagte sie.

Anthea ärgerte sich über sich selbst. »Ich *bin* erwachsen«, sagte sie. »So erwachsen, wie ich es jemals sein werde!«

»Aber nein«, sagte Connie. »Es dauert seine Zeit, bis man reif wird. Irgendwo hab ich mal gelesen, daß die alten Griechen bis zu ihrem fünfunddreißigsten Lebensjahr in die Schule gegangen sind.«

Anthea mußte lächeln.

»Und jetzt«, sagte Connie, »von diesem Augenblick an, denkst du nur noch an dein eigenes Leben. Die Hochzeit muß vorbereitet werden. Und noch vor Jahresende steht uns allen ein Umzug bevor. Vergessen wir also diese Mennyms. Sie gehen uns nichts an.«

Aber die Bewohner von Nummer 5 wußten nichts davon,

wie wenig ihre Sicherheit tatsächlich bedroht war. Für sie stellte es sich so dar, als ob die Behörden sich für sie zu interessieren begannen. Mehr denn je befürchteten sie, daß die fremde Außenwelt bei ihnen eindringen wollte.

# 19
# Alles wie gehabt

Als sich Joshua an diesem Freitag abends auf den Weg zur Arbeit machte, sah er den Zettel, der innen an der Haustür hing. In gestochen sauberer Schönschrift, umgeben von einem Rand aus Schnörkeln und Verzierungen, stand da:

*Bis auf weiteres*
*darf niemand dieses Haus verlassen.*
*Die Tür muß unbedingt geschlossen bleiben.*

Eine Unterschrift war nicht vorhanden, aber Wortlaut und Schrift reichten völlig aus, um den Verfasser zu identifizieren.

Joshua las und holte tief Luft. Und machte die Tür trotzdem auf.

Für mich gilt das nicht, dachte er. Ich *muß* weg. Wie sonst sollte ich zur Arbeit kommen?

Um diese Uhrzeit kam es keinem anderen Haushaltsmitglied in den Sinn, auf die Straße gehen zu wollen. Als Soobie einige Stunden später zu seiner nächtlichen Jogging-Tour aufbrach, sah er das Verbotsschild erst gar nicht. In der Eingangshalle war es dunkel, und das mußte auch so sein, damit er die Tür auf- und zumachen konnte, ohne riskieren zu müssen, daß jemand ihn sah.

Tulip wußte über das Verbot natürlich Bescheid. Auf Anweisung von Sir Magnus hatte sie den Zettel selbst dort hingehängt.

Vinetta entdeckte ihn am nächsten Morgen, als sie nachsehen ging, ob der Briefträger schon dagewesen war. Ihr war völlig klar, was das zu bedeuten hatte. Offenbar hatte Tulip Magnus davon erzählt, daß sich eine Gesundheitsberaterin für die Familie interessierte, und er hatte daraufhin gleich den Notstand ausgerufen. Vielleicht, dachte sie unbehaglich, hat er diesmal sogar recht. Von dem Anruf der Schulbehörde wußte Vinetta nichts.

»Was soll als nächstes passieren?« fragte sie Tulip, da sie sich denken konnte, daß der Zettel nur der Auftakt war. »Wie ich sehe, baut Magnus die Barrikaden wieder auf.«

Inzwischen redete Tulip kaum noch mit Vinetta. Sie wußte natürlich von dem Anruf, den Magnus entgegengenommen hatte, und sie konnte sich denken, daß ihre Schwiegertochter bei der Sache mit dem Keuchhusten nicht mit der Wahrheit herausgerückt war. Es mußte da eine Verbindung geben.

Es war halb acht Uhr morgens. Schon bald würde Joshua von der Arbeit nach Hause kommen. Tulip wußte bereits, daß er den Zettel an der Tür ignoriert hatte. Noch ein Grund mehr, verstimmt zu sein!

Bevor sie Vinetta antwortete, setzte sie eine sehr formelle Miene auf.

»Am Abend findet eine Versammlung statt«, sagte sie. »Alle müssen daran teilnehmen. Es ist lebensnotwendig.«

Und so war Joshuas freier Samstag wieder dahin. Die ganze Familie wurde um Punkt sieben Uhr auf ihre Plätze in Granpas Zimmer beordert. Sie ließen sich auf Stühlen und Kissen nieder und beäugten mit vorsichtigem Schweigen den zornigen alten Herrn, der kerzengerade in seinem Bett saß. Der lila Fuß war steif und starr ausgestreckt. Unbehagliche Minuten verstrichen, während alle so gebannt auf Sir Magnus' Worte warteten, als wäre er ein griechisches Orakel.

Tulip saß im Sessel und schaute sich mit strengem Blick um. Zu dieser Versammlung hatte sie noch nicht einmal ihr Strickzeug mitgebracht.

Joshua auf seinem Stuhl an der Tür hoffte darauf, daß, was immer sie hier erwartete, bald vorüber sein würde. Er behielt seine Meinung für sich, aber insgeheim glaubte er, daß sein Vater dazu neigte, aus einer Mücke einen höchst lästigen Elefanten zu machen. Vinetta und Hortensia saßen nebeneinander. Beiden war unbehaglich zumute, wohl wissend, daß sie etwas verheimlichten. Auch Pilbeam und Appleby waren sich der Ereignisse, die sie verschwiegen hatten, unangenehm bewußt. Soobie, der unschuldig war, spürte die Spannungen sehr deutlich und wartete darauf, daß das Gewitter sich entlud.

Als Magnus schließlich das Wort ergriff, tat er das mit überraschend leiser Stimme, in der jedoch eisige Kälte lag.

»Ein Haus, das in sich uneins ist, kann nicht bestehen«, begann er. »Es stürzt unweigerlich ein. Wir haben Schlangen in unserer Mitte. Während wir uns in ernster Gefahr befinden, gibt es hier in diesem Zimmer jemand, der genau weiß, wie es dazu gekommen ist. Jemand hier in diesem Zimmer hat uns an den Feind verraten.«

Miss Quigley schaute verängstigt drein, Vinetta besorgt. Pilbeam warf Appleby einen schuldbewußten Blick zu, aber die zuckte nur mit der Schulter und zog trotzig eine Augenbraue hoch.

Wimpey, die das alles nicht begriff, wollte etwas sagen. Doch als sie den Mund aufmachte, packte Poopie sie warnend am Arm. Immerhin waren sie Zwillinge. Auch wenn sie tagein, tagaus stritten und zankten, ließ er es nicht zu, daß sie sich dem Löwen zum Fraß vorwarf.

Und das war gut so.

Die nächsten Worte ihres Großvaters brachen als zorniges Gebrüll hervor.

»Ich will die Wahrheit wissen«, schrie er.»Und zwar auf der Stelle. Wer von euch hat Umgang mit der Welt da draußen gehabt? Wer von euch ist der Anlaß dafür, daß dieses Haus jetzt unter die Lupe genommen wird? Raus mit der Sprache! Schenkt mir reinen Wein ein. Schließlich bin ich derjenige, der den Schaden wieder reparieren muß.«

Mit ruhiger, fester, geschäftsmäßiger Stimme erzählte Tulip den anderen von dem Anruf der Schulbehörde. Danach schaute sie Vinetta an und sagte:»Ich finde, wir sollten mit dir anfangen. Hinter dem Keuchhusten verbirgt sich eine Geschichte. Die muß auf den Tisch, ganz egal, was du zu verheimlichen hast.«

Als Vinetta zum Sprechen ansetzte, fiel ihr Miss Quigley ritterlich ins Wort.

»Es *gibt* eine Geschichte«, sagte sie,»aber die habe *ich* zu verantworten. Deshalb ist es meine Aufgabe, sie zu erzählen.«

Tapfer und ohne zu stammeln oder Ausflüchte zu machen, erzählte Hortensia von der Begebenheit bei ihrer Rückkehr aus dem Park.

Vinetta sah sie voller Anerkennung an.

»Wo blieb denn da Ihre vielgerühmte Fähigkeit, Aufmerksamkeit abzuwenden?« sagte Tulip höhnisch.»Magnus hatte ganz recht. Er hatte von Anfang an recht. Wenn man mit einem großen, altmodischen Kinderwagen auf die Straße geht, zieht das unweigerlich Probleme nach sich. Verwunderlich daran ist nur, daß so etwas nicht schon früher passiert ist.«

Pilbeam sah, wie betroffen Miss Quigley war. Da sie ihren Mut bewunderte, beschloß sie, einen Teil der Vorwürfe auf ihre Kappe zu nehmen.

»Ich finde, wir sollten den anderen von unserem Besuch im *Leichte Weise* erzählen«, sagte sie und schaute dabei Appleby an.»Wir sind dort auch entdeckt worden. Miss Quigley ist also nicht die einzige Schuldige, falls überhaupt von Schuld die Rede sein kann.«

Appleby machte ein entsetztes Gesicht. Den Bruchteil einer Sekunde lang glaubte sie, daß Pilbeam den anderen von Tony und den Briefen und ihrem Diskobesuch erzählen wollte. Pilbeam, der klar war, was ihrer Schwester durch den Kopf ging, erzählte rasch eine vereinfachte Version. Niemals würde sie das Vertrauen enttäuschen, das Appleby in sie gesetzt hatte. Dazu war ihre Freundschaft viel zu kostbar.

Als Pilbeam fertig war, verkündete Magnus sein Urteil.

»Wir müssen wieder zum Ausgangspunkt zurück. Alles wie gehabt«, sagte er und bewies damit erneut seine Fähigkeit, treffsicher die richtigen Worte zu finden. »Und diesmal kann nicht einmal Miss Quigley auf die Straße hinaus. Bis wir uns vergewissert haben, daß keine Gefahr mehr besteht, darf niemand das Haus verlassen.«

Joshua hatte schweigend zugehört, aber jetzt hielt er den Zeitpunkt für gekommen. Er mußte reden. In einem Tonfall, der keinen Widerspruch duldete, sagte er: »So geht das nicht. Ich werde morgen abend wie gewohnt zur Arbeit gehen, Vater, da kannst du sagen, was du willst.«

Soobie ging das Problem weniger unbeugsam an, verfolgte dabei aber denselben Zweck.

»Ich gehe nie vor Einbruch der Dunkelheit hinaus«, sagte er, »selbst wenn das bedeutet, daß ich fast bis Mitternacht warten muß. Niemand sieht mich. Wir können nicht allen Kontakt mit der Außenwelt abbrechen, Großvater, so gern du das vielleicht hättest. Es müssen Briefe aufgegeben werden, Rechnungen sind zu bezahlen ...«

»Das mache ich«, sagte Appleby scharf.

»Jetzt nicht mehr«, sagte ihr Großvater. »Du gehörst zu denen, die im Haus bleiben müssen. Aber Soobie hat die Argumente auf seiner Seite. Und Briefe können zu jeder Tages- und Nachtzeit eingeworfen werden. Das kann Soobie übernehmen.«

Appleby schäumte vor Wut.

»Und was ist mit Briefmarken?« sagte sie. »Und mit Briefumschlägen? Soobie kann nicht in die Geschäfte gehen.«

Magnus sah sie triumphierend an. »Was glaubst du denn, warum ich in den letzten Wochen soviel besorgen ließ? Eine höchst simple Vorsichtsmaßnahme. Ich habe einen Vorrat an Briefmarken und Papier, der für sechs Monate reicht, wenn nicht sogar ein Jahr.«

»Man kann keine Pakete in den Briefkasten werfen«, sagte Appleby mit einem Blick zu Tulip hinüber.

»Keine Pakete«, verfügte Granpa. »Harrods wird eben auf die nächste Lieferung warten müssen. Deine Großmutter wird ihnen schriftlich mitteilen, daß sie im Augenblick keine weiteren Bestellungen annehmen kann. Mehr braucht sie ihnen nicht zu sagen.«

»Streichhölzer«, sagte Appleby, »was ist mit Streichhölzern?«

»Wir haben so viele, daß wir damit die St.-Pauls-Kathedrale bauen könnten«, sagte Magnus genüßlich. »Und dazu, wenn's sein muß, auch noch Westminster Abbey.«

Das klingt komisch, dachte Poopie, aber sehr interessant. Er musterte die Gesichter der Großen und versuchte, der Erwachsenen-Diskussion zu folgen. Mit einemmal ging ihm auf, daß er selbst davon betroffen sein könnte. Der Garten, zum Beispiel. Was war mit dem Garten? Der war draußen.

»Aber wir können doch noch in den Garten«, sagte er. »Das geht doch, oder?«

»Vielleicht in den Garten hinterm Haus«, sagte sein Großvater, »aber nicht in den vorderen.«

»Dann verwildert er aber«, sagte Poopie. »Es wird alles mögliche in die Höhe schießen, wenn sich niemand darum kümmert.«

Wimpey sah geradezu vor sich, wie Pflanzen bis in den Himmel aufragten und Hecken über dem Vorgartenweg zusammenschlugen.

»Wie im Märchen«, sagte sie. »Wir könnten hundert Jahre lang in der Falle sitzen. Und dann müßte Albert Pond kommen und alles niederhacken.«

Sir Magnus runzelte die Stirn, weil Alberts Name gefallen war, aber seine Miene wurde milder, als er seine kleine Enkeltochter ansah.

»Es wird keine hundert Jahre dauern«, sagte er sanft. »Ein paar Monate dürften genügen.«

# 20
# Schöner Geburtstag!

Ohne Geschenke ist ein Geburtstag kein Geburtstag...
Am Abend vor dem vierten Juli, dem Tag, an dem Appleby immer ihren fünfzehnten Geburtstag feierte, hatte Vinetta ihr behutsam erklärt, daß es dieses Jahr keine Geschenke geben würde. Niemand war einkaufen gewesen.

»Du hättest etwas aus dem Katalog bestellen können«, sagte Appleby. »Das Auspacken der Geschenke war das einzige, worauf ich mich gefreut habe. Wenn du für *dich* etwas hättest haben wollen, hättest du es aus einem Versandhaus besorgt. Warum sagst du nicht einfach die Wahrheit? Du hast es vergessen. Du warst so damit beschäftigt, dir den Kopf darüber zu zerbrechen, was die Nachbarn denken oder sagen oder tun könnten, daß du meinen Geburtstag glatt vergessen hast.«

Tief in Applebys Innerem steckte irgendwo eine Sechsjährige, die furchtbar enttäuscht darüber war, daß sie keine Geschenke bekommen würde.

»Wir können ja trotzdem feiern und den Tisch so decken wie sonst auch«, sagte Vinetta. Sie gab sich große Mühe, alles zum Guten zu wenden, aber vergeblich.

»Das soll wohl ein Witz sein«, sagte Appleby. »Wenn ihr feiern wollt, könnt ihr das ohne mich machen!«

»Na schön, dann eben später, wenn die Belagerung vorbei ist...«

»Vergiß es!« sagte Appleby. »Vergiß es einfach. Das zumindest dürfte dir ja nicht schwerfallen.«

Ihr Gesicht war zu einer häßlichen Fratze verzerrt und ihr Tonfall erschreckend grob.

Aber Vinetta konnte verstehen, wie enttäuscht ihre leicht erregbare Tochter war, und deshalb sagte sie nur: »Schon gut. Reden wir ein andermal darüber.«

Die letzten Wochen waren sehr belastend gewesen. Es war nervenaufreibend, nie weiter als bis zum Garten hinterm Haus zu dürfen und das Fenster nach vorn immer im Auge zu behalten. Für die Wache gab es einen Dienstplan. Durch seinen Platz am Fenster war Soobie wie geschaffen für diese Aufgabe, aber er wollte Zeit zum Lesen haben und auch mal in sein Zimmer gehen und Radio hören. Es war eine Sache für sich, freiwillig aus dem Fenster zu sehen, aber es war etwas völlig anderes, jede Minute des Tages bewußt und sorgfältig Ausschau zu halten. Deshalb wechselten sie sich dabei ab.

Im Verlauf dieser Wochen sahen sie in allen Häusern der Straße das übliche Kommen und Gehen, aber es war nicht viel los. Einmal drohte Panik auszubrechen, als Anthea genau vor dem Gartentor der Nummer 5 stehenblieb, um mit der alten Mrs. Jarman zu sprechen. Wimpey, die gerade Wachdienst hatte, zupfte Soobie am Ärmel, damit er von seinem Buch aufsah.

»Schau nur, Soobie, schau! Da ist sie. Diese Frau.«

Genau in diesem Augenblick blickte Anthea zum Haus hin. Das sahen sie alle beide. Sie wandte den Kopf in ihre Richtung, als wollte sie auf sie zeigen.

»Sie sieht her!«

Aber die Panik legte sich schnell wieder. Mrs. Jarman hatte nur die Schultern gezuckt und war weitergegangen, zurück zu ihrem eigenen Haus. Die beiden Mennyms sahen, wie Anthea ihr ziemlich verdattert hinterherstarrte.

»Also, was sie auch gesagt haben mag«, stellte Soobie fest,

»unsere Nachbarin von nebenan hat ihr auf jeden Fall eine kalte Dusche verpaßt.«

Wimpey hatte allen anderen davon erzählt. Sogar ihr war klar, daß es sich um kein großes Ereignis handelte, aber es war doch immerhin etwas interessanter, als dem Gras beim Wachsen zuzusehen. Und das Gras wuchs! Wenn Poopie mit dem Wachdienst an der Reihe war, tat ihm der Anblick des überwucherten Rasens mit dem sich immer weiter ausbreitenden Löwenzahn in seiner Gärtnerseele weh.

»Vielleicht hat sie über unseren Garten geredet«, sagte er. »Das muß jetzt der ungepflegteste Garten in der ganzen Straße sein.«

Als Appleby am Abend vor ihrem Geburtstag ins Bett ging, kochte sie immer noch vor Wut, und sie begann, Rachegedanken zu hegen. Und die beste Rache, die ihr einfiel, war ein Ausflug in die Freiheit.

Eine Stunde nach Mitternacht schlich sie in ihrer Ausgehgarderobe aus ihrem Zimmer, karierte Jeans und alter gelber Anorak. Sie lief auf Strümpfen und hielt die Schuhe – die stabilsten, die sie hatte – in der Hand. In ihrer Schultertasche steckte das gesamte Geld, das sich im Lauf der letzten Wochen, in denen es keine Möglichkeit zum Ausgeben gab, bei ihr angesammelt hatte. Die jüngeren Mitglieder der Familie hatten alle wie gewohnt ihr Taschengeld bekommen. Dahinter stand die Idee, daß sie daraus lernen konnten, wie das Geld sich vermehrt, wenn man es nicht ständig zum Fenster hinauswirft. Dieses Verfahren ging von Vinetta aus, die in mancher Hinsicht genauso naiv war wie Wimpey.

»Und überhaupt«, hatte sie gesagt, »eines Tages wird der Belagerungszustand vorüber sein. Dann werden sie sich freuen, ein bißchen zusätzliches Geld ausgeben zu können.«

Appleby wußte genau, was sie mit *ihrem* zusätzlichen Geld machen wollte. Das war ein wesentlicher Teil ihres Fluchtplans.

Es gab einen wichtigen Artikel, den sie auf jeden Fall kaufen mußte.

Mit schnellen Schritten ging sie an Granpas Zimmer vorbei. Auf den Treppenabsätzen und unten im Flur brannte jeweils eine schwache Lampe. Das Haus war nie völlig dunkel. Während Appleby auf Zehenspitzen die zwei Stockwerke zum Erdgeschoß hinunterstieg, achtete sie sorgfältig darauf, ob sich irgendwo etwas regte. Sie hielt den Atem an, als sie einen schmalen Lichtstreifen unter der Tür zum Frühstückszimmer sah. Granny Tulip arbeitete noch. Warum konnte sie nachts nicht schlafen, so wie alle anderen auch! Mit ganz besonderer Vorsicht drehte Appleby den Messingknauf an der Küchentür. Auf gut geölten Angeln ließ die Tür sich lautlos öffnen.

In der Küche angelangt, hatte Appleby noch eine Aufgabe zu erledigen, bevor sie das Haus verlassen konnte. Sie holte die alte Teebüchse vom Regal und fischte den Schlüssel zum Schuppen heraus. Dann zog sie die Schuhe an und ging nach draußen. Sie hatte eine Taschenlampe eingesteckt, wagte sie aber noch nicht anzuknipsen. Stolpernd durchquerte sie den dunklen Garten bis zu dem Holzschuppen, der hinten am Zaun stand.

Schuldbewußt fummelte sie am Vorhängeschloß herum, bis sie es endlich aufbekam. Für einen Gartenschuppen war das Innere recht geräumig. Links von der Tür waren in säuberlicher Ordnung Gartengeräte und Werkzeug gelagert. Rechts unter dem Fenster stand eine lange Werkbank und unmittelbar dahinter eine Art Monster, das mit einer Plane zugedeckt war. Diesem Gegenstand, der auch noch einen Teil der Seitenwand einnahm, galt das ganze Unternehmen. Appleby holte die Taschenlampe aus ihrer Anoraktasche hervor. Während sie an der Werkbank vorbeiging, achtete sie darauf, den Lichtstrahl nicht auf das Fenster zu richten. Sie zog die Plane fort, und zum Vorschein kam ...

Albert Ponds Motorroller!

Er stand im Schuppen, seit Appleby ihn nach ihrer Flucht aus

Comus House dort abgestellt hatte. Comus House war das Haus auf dem Land, das Albert Pond den Mennyms zur Verfügung gestellt hatte, als es so aussah, als sollte Brocklehurst Grove abgerissen werden. Der Familie war es nicht gelungen, dort heimisch zu werden. Es war einfach zu abgeschieden. Appleby war rebellisch geworden und hatte mit dem alten Motorroller, der Alberts Vater gehört hatte, die Flucht ergriffen. Nachdem sie schon einmal damit gefahren war, konnte sie das auch wieder tun.

Natürlich wußte jeder, daß der Roller im Schuppen stand, aber im Lauf der Monate war er in Vergessenheit geraten. Nach einer der »Was sollen wir nur damit machen?«-Sitzungen, die wieder einmal ergebnislos verlaufen war, hatte Joshua die Plane darübergebreitet.

»Wenn Albert ihn braucht«, sagte Joshua, »weiß er ja, wo er ihn holen kann.«

Sie alle wußten instinktiv, daß Albert niemals kommen würde, um sein Eigentum zurückzufordern. Zunächst war Soobie jedesmal traurig geworden, wenn er daran dachte. Und für Poopie war es eine große Versuchung gewesen, unter die Plane zu lugen. Aber in erstaunlich kurzer Zeit war der Roller vergessen. Nur nicht von Appleby.

Appleby vergaß nie etwas, das ihr eines Tages vielleicht von Nutzen sein konnte.

Sie legte die Schutzhülle weg und schob den Roller vorsichtig ins Freie. Das war nicht einfach. Der Roller war schwer, ließ sich viel leichter fahren als schieben, aber Appleby mußte ein ganzes Stück vom Haus entfernt sein, bevor sie es wagen konnte, den Motor anzulassen. Der Sturzhelm mit den Handschuhen darin hing noch am Lenker, wo Appleby ihn zurückgelassen hatte.

Ihre Aufgabe wurde noch dadurch erschwert, daß sie sich nicht traute, ihre Taschenlampe anzuknipsen. Mit sehr viel Geschick mußte sie das Gefährt durch das dunkle Gras manövrieren. Sie schob den Roller zu den Blumenbeeten an der Hausseite, um so schnell wie möglich außer Sichtweite der rückwärtigen Fenster zu kommen. Nachdem sie sich durch die holprige Erde gekämpft hatte, kam sie mit dem schweren, klobigen Ungetüm endlich auf die erfreulich glatte Auffahrt. Das Schlimmste war überstanden.

Während sie den Roller vorsichtig zum Gartentor schob und dabei über die Schulter blickte, um sich zu vergewissern, daß an der Vorderfront des Hauses alles dunkel blieb, spürte Appleby plötzlich eine freudige Erregung in sich aufsteigen. Das Abenteuer begann, und die Qual, im Haus eingesperrt zu sein, war fast vorbei.

Dann, mit einemmal, ging das Gartentor vor ihr auf.

»Was glaubst du denn, wo *du* jetzt noch hinfährst?«

Es war Soobie. Eine schöne Sommernacht. Ein langer Lauf. Soobie war die Hauptstraße entlanggejoggt und am Fluß wieder zurück. Er hatte die elegant geschwungene Dean Bridge überquert und auf dem Rückweg die stabile Victoria Bridge, deren starke Pfeiler eine Straße und Eisenbahnschienen trugen. Dann hatte ihn sein Weg am Markt vorbei wieder zur Hauptstraße geführt. Er war müde, aber zufrieden und kam sich schon fast nicht mehr blau vor. Daß er kopfüber in eine Krisensituation geraten würde, war das letzte, womit er gerechnet hatte.

# 21
# Fragen und Antworten

Der Roller fiel geräuschvoll auf die Auffahrt. Appleby funkelte Soobie böse an.

»Du hast mich zu Tode erschreckt«, sagte sie zornig, während sie sich alle möglichen Erklärungen durch den Kopf gehen ließ, warum sie um diese Zeit an diesem Ort war, noch dazu mit einem *Motorroller*! Mit einem schnellen Blick zum Haus hin stellte sie fest, daß in einem Fenster im ersten Stock Licht anging. Poopies Zimmer. Es wurde nur immer schwerer anstatt leichter!

Soobie richtete den Roller auf und sah seine Schwester grimmig an. Er wartete immer noch auf eine Antwort.

»Na?« sagte er.

Appleby warf den Kopf zurück.

»Es geht dich zwar nichts an, Soobie Mennym«, sagte sie, »aber ich habe mir überlegt, daß dieser Roller eine zu große Versuchung darstellt. Ich wollte ihn beseitigen. Sonst wäre womöglich jemand auf den Gedanken gekommen, damit wegzufahren. Jeder von uns hätte das tun können. Selbst du.«

»Das möchte ich doch genauer wissen«, sagte Soobie, »und zwar sehr viel genauer. Beseitigen? Wo? Wie?«

In Gedanken ging Appleby die verschiedenen Möglichkeiten durch. Als würde sie eine Karte ziehen, holte sie eine Antwort hervor, von der sie hoffte, daß sie glaubwürdig war.

»Ich wollte den Roller zum Fluß schieben und ihn dort ins Wasser werfen.«

Im Licht der Straßenlaterne, die bis zu ihnen herüberschien, wurde Soobie noch ein paar Schattierungen blauer.

»Das ist Vandalismus!« sagte er. »Wie konntest du nur daran denken, so etwas ...«

Mitten im Satz brach er ab. Ihm war klargeworden, wie ungeheuer leichtgläubig er gewesen war.

»Komm schon, Appleby. Ich will die Wahrheit hören«, sagte er. »Und das ist sie jedenfalls nicht!«

Appleby verzog schmollend das Gesicht. In diesem Augenblick kam Pilbeam hinter dem Haus hervor. Sie hatte sich einen langen Morgenmantel aus Samt übergezogen und hielt einen Kricketschläger in der Hand.

»Was ist denn hier los?« sagte sie. »Hinten im Garten habe ich gesehen, wie sich etwas bewegt. Als ich das Fenster aufmachte, hörte ich ein Schlurfen. Ich dachte schon, es wären Einbrecher.«

»Es ist bloß Appleby«, sagte Soobie. »Du brauchst deinen Schlagstock nicht einzusetzen! Sie wollte sich mit dem Motorroller davonmachen. Weiß der Kuckuck, wohin sie jetzt unterwegs wäre, wenn ich sie nicht abgefangen hätte.«

Pilbeam betrachtete ihren Bruder und ihre Schwester und den Motorroller zwischen ihnen. Die beiden machten den Eindruck, als wollten sie die ganze Nacht so stehen bleiben und sich herumstreiten.

»Es hat keinen Sinn, hier draußen zu reden«, sagte Pilbeam. »Bringen wir den Motorroller zurück in den Schuppen, und dann gehen wir in die Küche.«

Noch bevor etwas davon in die Tat umgesetzt werden konnte, ging die Haustür gerade so weit auf, daß ein kleiner Junge sich durch den Spalt zwängen und die Tür hinter sich ins Schloß ziehen konnte. Im gestreiften Schlafanzug, die Haare vom Schlaf zerzaust, kam Poopie die Auffahrt entlang. Als er den Motorroller sah, pfiff er durch die Zähne.

»Wer hat den denn hier herausgebracht?« fragte er.

»Ich«, sagte Appleby. »Möchtest du jetzt ein großes Drama daraus machen?«

Inzwischen war Appleby stocksauer. Sie hatte das Gefühl, als wären alle anderen im Unrecht. Aber sie wagte es nicht, ihre Wut an Pilbeam oder Soobie auszulassen. Poopie war ein bequemeres Opfer. Seine Wutausbrüche waren kindisch und beeindruckten sie nicht im geringsten. Aber er funkelte sie dennoch böse an und hatte eine Antwort für sie parat.

»Granpa dreht dir den Hals um, wenn er davon Wind bekommt«, sagte er. »Ich möchte nicht in deiner Haut stecken, wenn er das erfährt.«

»Seid still!« sagte Pilbeam. »Niemand wird davon erfahren. Das bleibt unser Geheimnis. So, und jetzt stellen wir den Motorroller weg und gehen ins Haus, um alles zu bereden.«

Soobie schob den Roller in den Schuppen zurück. Sie breiteten wieder die Plane darüber und schlossen ab.

»Den Schlüssel nehme ich«, sagte Poopie mit dem Besitzrecht des Gärtners. »Ich lege ihn an seinen Platz.«

Er lief vor ihnen her in die Küche, kletterte auf einen Stuhl und legte den Schlüssel wieder in die Büchse. Dann setzten sich alle um den Küchentisch und sahen Appleby erwartungsvoll an.

»So«, sagte Pilbeam, »was hast du vorgehabt? Wo wolltest du hin?«

Appleby suchte fieberhaft nach einer glaubhaften Geschichte, aber als sie Pilbeam ansah, wurde ihr – wie schon so oft – klar, daß bei ihrer Schwester mit Lügen nichts zu machen war. Seit der Sache mit der Disko war sie mißtrauischer denn je. Auch wenn ihre Lüge noch so gekonnt ausfiel, würde Pilbeam sie ihr nicht abnehmen. Die nächstbeste Lösung war, sich auf Umwegen an die Wahrheit heranzutasten.

»Ich hab es so satt, lebendig begraben zu sein«, sagte Appleby. »Wir gehen nirgends hin. Wir unternehmen nichts. Genausogut könnten wir gar nicht existieren.«

»Was wolltest du also mit dem Motorroller?« fragte Pilbeam beharrlich weiter.

Appleby trat mit dem Fuß so heftig gegen das Tischbein, daß zwei Teller und ein Krug zu klirren begannen.

»Schluß damit«, sagte Pilbeam.

Soobie machte ein zorniges Gesicht, schwieg aber.

Poopie setzte eine tugendhafte Miene auf, traute sich jedoch nichts zu sagen. Er liebte Pilbeam. Sie alle liebten Pilbeam, aber sie konnte einen fast genauso einschüchtern wie Granpa.

Appleby schaute von einem zum anderen und fing widerwillig an zu erzählen.

»Wenn ihr's unbedingt wissen wollt«, sagte sie, »ich hatte vor, den Roller seinem rechtmäßigen Eigentümer zurückzugeben.«

Soobie musterte sie mit scharfem Blick. Das war die Wahrheit. Man konnte förmlich riechen, daß es die Wahrheit war. Aber wie hatte sie das ausführen wollen?

»Wie?« fragte er.

Nachdem Appleby reinen Tisch gemacht hatte, konnte sie wieder klar denken und gewann auch ihre Fassung wieder. Es war ein guter Plan gewesen. Sie war richtig stolz darauf.

»Ich hätte den Roller zu Comus House zurückgebracht. Dazu hätte ich den Weg genommen, auf dem ich den Roller überhaupt erst hierhergebracht habe. Der Rückweg wäre nicht schwieriger gewesen als der Hinweg. Im Gegenteil, sogar leichter, weil ich den Weg jetzt ja kenne.«

»Comus House steht leer. Was hätte es also für einen Sinn gehabt, dort hinzufahren?« fragte Pilbeam. »Es wird alles abgeschlossen sein.«

»Das weiß ich«, sagte Appleby. »Ich bin ja nicht blöd. Ich wäre durch das Fenster der Bibliothek eingestiegen. Am Morgen wäre ich dann zur nächsten Telefonzelle gegangen und hätte Albert in Durham angerufen. Ich hätte ihm erklärt, wo ich stecke und aus welchem Grund ich gekommen bin. Er hätte mich abgeholt und nach Hause gefahren, und er wäre auch mit Anthea Fryer fertig geworden, genau wie beim letztenmal. Ich hätte einen aufregenden Geburtstag bekommen und gleichzeitig alle Probleme der Familie gelöst. Und ihr habt das alles vermasselt.«

Soobie, älter und klüger und sehr viel sensibler als seine Schwester, stieß einen Seufzer aus, bevor er sprach.

»Unmöglich«, sagte er. »Aus den verschiedensten Gründen unmöglich. Wir dürfen mit Albert Pond nie wieder in Kontakt treten. Das hätte dir doch klar sein müssen.«

»Nur weil Granpa ihn nicht leiden kann ...«, begann Appleby.

»Das hat nicht nur mit Granpa zu tun«, sagte Soobie. »Begreifst du denn gar nichts? Hast du gar kein Feingefühl, keinerlei Gespür für Anstand?«

Appleby war von jeglichem Feingefühl so weit entfernt, daß sie keine Ahnung hatte, wovon er überhaupt sprach. Vielleicht wäre ein Streit ausgebrochen, wenn nicht in diesem Augenblick die Küchentür aufgegangen wäre. Alle fuhren zusammen, als sie Tulips Stimme hörten.

»Was macht ihr denn mitten in der Nacht hier unten?« fragte sie.

Appleby erholte sich als erste.

»Wir veranstalten ein Mitternachtsfest«, sagte sie. »Meine Geburtstagsfeier. Schließlich hat niemand ein Geschenk für mich besorgt.«

Sie griff nach einem der Teller und hielt ihn Pilbeam unter die Nase. »Nimm dir doch einen Krapfen«, sagte sie.

Pilbeam nahm ein nichtvorhandenes Gebäckstück vom Teller und biß hinein. Was immer sie von So-tun-als-ob auch halten mochte, ihrer Großmutter gegenüber wollte sie das Spiel nicht auffliegen lassen.

Tulip schaute mißtrauisch in die Runde.

»Mitternachtsfeier!« sagte sie. »Es ist schon lange nach Mitternacht. Ab mit euch ins Bett.«

# 22
# Ein Oldtimer-Motorroller

Pilbeam war mit dem Wachdienst an der Reihe. Sie schob ihren Stuhl zur Mitte des Erkerfensters. Rechts von ihr saß Soobie in seinem Sessel und löste ein altes Kreuzworträtsel im *Guardian*, das den anderen irgendwie entgangen war. Normalerweise machten die Zeitungen aus Granpas Zimmer die Runde durchs Haus, bevor sie in den Müll wanderten. Aber in den letzten Wochen hatte es keine einzige neue Zeitung mehr gegeben. Ein unangetastetes Kreuzworträtsel war ein echter Fund.

»Ich finde, wir sollten mit dem Motorroller irgend etwas machen«, sagte Pilbeam, wobei sie ihren Blick unverwandt auf die Straße heftete. Es war zwei Wochen her, daß sie Appleby bei ihrem Fluchtversuch erwischt hatten.

Soobie schaute von der Zeitung auf.

»Darüber hab ich auch schon nachgedacht«, sagte er. »Wir können ihr nicht über den Weg trauen. Es ist nur eine Frage der Zeit, bis sie das nächste Ding dreht.«

»Wir könnten den Schlüssel zum Schuppen verstecken.«

»Das geht schlecht«, sagte Soobie. »Dad und Soobie brauchen ihn doch dauernd – und vergiß nicht, daß Dad von ihrer letzten Eskapade nichts weiß. Je weniger davon wissen, desto besser.«

»Na schön«, sagte Pilbeam. »Was schlägst du vor?«

»Ich könnte das tun, was sie vorgegeben hat zu tun, als ich sie erwischt habe. Ich könnte den Roller nachts wegschaffen und ihn beseitigen.«

»Das ist zu gefährlich«, sagte Pilbeam. »Du kannst den Roller ja nicht in die Tasche stecken und irgendwo in die Mülltonne werfen.«

Soobie dachte nach. Pilbeam beobachtete Mrs. England, die ihren alten Collie Gassi führte. Der Hund hielt an ihrem Torpfosten an und beschnupperte ihn, wurde aber weggezerrt.

»Ich möchte nicht, daß der Roller zerstört oder beschädigt wird«, sagte Soobie. »Er ist ein wunderbares Vehikel und für sein Alter in einem ausgezeichneten Zustand. Vielleicht ist er sogar allerhand wert.«

»Wir können ja wohl kaum losziehen und ihn verkaufen!« sagte Pilbeam.

»Aber wir könnten versuchen, ihn zu verschenken«, sagte Soobie. »Eine anonyme Spende für einen wohltätigen Zweck.«

Das war eine reizvolle Idee, stellte sie aber immer noch vor das Problem des Wie und Wohin.

»Ich müßte ihn irgendwo abstellen, wo die richtigen Leute ihn finden. Und ich würde einen Zettel in die Satteltasche legen, auf dem steht, daß es sich um ein Geschenk handelt.«

»Aber welche richtigen Leute?« sagte Pilbeam. »Und wo?«

Vor seinem geistigen Auge sah Soobie den gesamten Stadtplan von Castledean ausgebreitet. In der Albion Street war der Oxfam-Laden, in dem gebrauchte Sachen verkauft wurden, deren Erlös in die Dritte Welt ging. Aber wenn der Roller dort mitten in der Nacht abgestellt wurde, konnte jeder x-beliebige ihn mitnehmen. Ein Jugendlicher baute damit womöglich einen Unfall, bei dem er selbst oder jemand anderes umkam. Dieses Risiko wollte Soobie nicht eingehen.

»St. Oswald«, sagte er schließlich. »Ich stelle den Roller in den Durchgang zwischen Pfarrhaus und Kirche. Dann drücke ich auf die Klingel und laufe weg.«

»Riskant«, sagte Pilbeam.

»Eigentlich nicht«, sagte Soobie. »Im Durchgang ist es dunkel, und bis jemand an die Tür kommt, bin ich schon um zwei Ecken und längst außer Sichtweite.«

Und so ging Soobie nachts um halb eins zum Schuppen und schob den Motorroller hinaus. Er zog die Handschuhe an und setzte den Helm auf. Für den Rückweg steckte er sich seine eigene Motorradbrille in die Tasche. Erst nachdem er den Grove hinter sich gelassen hatte, stellte er den Motor an. Es war nur noch sehr wenig Benzin im Tank, aber dieses Problem ließ sich leicht lösen. Ein Stück weiter die Hauptstraße hinunter war eine Shell-Tankstelle, eine kleine, bei der man aber trotzdem die ganze Nacht hindurch Benzin bekam. Der Laden war geschlossen, und bezahlt wurde an einem kleinen Fenster an der Ecke. Das war kinderleicht!

Als Soobie wieder auf die Hauptstraße hinausfuhr, geriet er in Versuchung. Das würde seine letzte Fahrt mit dem Motorroller sein, und er hatte jetzt mehr als genug Benzin zur Verfügung. Und so fuhr er mit äußerster Vorsicht zur Victoria Bridge, überquerte sie und fuhr über die Low Bridge wieder ans andere Ufer.

Die Lichter auf dem Fluß wirkten einsam und verloren. Auf den Straßen herrschte fast gar kein Verkehr. Nur wenige Autos waren unterwegs. Ein Polizeiwagen kam vorbei und fuhr in entgegengesetzter Richtung weiter. Daraufhin beschloß Soobie, kein weiteres Risiko mehr einzugehen. Er kehrte auf die Hauptstraße zurück und fuhr zu der Kirche, in der er einmal um Hilfe gebetet hatte, als Appleby verschwunden war.

An der ersten der drei Kirchen, einem mit Brettern vernagelten Gebäude, das auf seinen Abriß wartete, stellte er den Motor ab, sprang vom Roller und schob ihn das restliche Stück durch die verlassene, schlecht beleuchtete Straße.

Er bog in den Durchgang zwischen Kirche und Pfarrhaus ein.

Nachdem er den Helm abgelegt und die Handschuhe ausgezogen hatte, zog er sich die Kapuze seines Trainingsanzugs über den Kopf und setzte die Motorradbrille auf. Um zum Haus zu kommen, mußte er durch ein Holztor in einen kleinen Garten gehen. Soobie beschloß, den Roller direkt davor abzustellen und das Tor sperrangelweit offen zu lassen.

Er drückte auf die Klingel. Und dann – Panik! Denn der jüngste Pfarrer war im Begriff, zu einem Schwerkranken aufzubrechen. Er hatte gerade die Tür öffnen wollen, als es klingelte.

Soobie zog den Kopf ein, machte kehrt und rannte davon.

»He!« rief der Pfarrer ihm nach. »Was soll das?«

Aber Soobie war schon ein gutes Stück entfernt. Der verdutzte junge Pfarrer trat in den Durchgang hinaus und sah den Motorroller. Da er es eilig hatte, lief er ins Haus zurück und rief: »Father Joseph, Father Joseph, hier geht etwas Merkwürdiges vor. Kommen Sie doch bitte mal und schauen Sie sich das an.«

Erst am nächsten Morgen entdeckten die geistlichen Herren Soobies Zettel in der Satteltasche.

*Dieser alte Motorroller braucht ein gutes Zuhause. Er ist ein Geschenk an die Gemeinde von St. Oswald und kann je nach Bedarf von Ihnen benützt oder weiterverkauft werden.*

»Das ist ja alles ganz gut und schön«, sagte Father Patrick, der älteste Pfarrer, der zugleich am praktischsten veranlagt war. »Aber wir kennen unsere Rechtslage nicht und auch nicht die des Spenders. Womöglich nehmen wir Diebesgut an.«

»Ich hätte große Lust, damit zu fahren«, sagte Father Leo. »Er ist schon fast eine Antiquität, ein richtiges Prachtstück. Stellen Sie sich nur mal vor, damit durch die Gemeinde zu brausen!«

Der alte Pfarrer zog die Augenbrauen hoch.

»Wir müssen die Polizei verständigen«, sagte er. »Die soll entscheiden.«

Es war ein ungewöhnlicher Fall, und die Ortspolizei, die

wichtigere Dinge zu tun hatte, hätte die Sache liebend gern auf sich beruhen lassen. Zwei Beamten war der Roller in der gestrigen Nacht sogar aufgefallen.

»Schau dir das mal an«, hatte Mick Storey gesagt, als sie in Sandy Bank einbogen. »Einen solchen Roller hab ich schon seit Jahren nicht mehr gesehen.«

»Ich hab so was in meinem ganzen Leben noch nicht gesehen«, sagte sein jüngerer Kollege.

»Schade, daß wir nicht in seine Richtung fahren«, sagte Mick. »Dann hätten wir ihn anhalten und uns nach seiner Geschichte erkundigen können.«

Das war alles. Aber sie konnten sich beide noch an den Fahrer erinnern. Untersetzt, um die Zwanzig, dunkler Trainingsanzug, Turnschuhe, Helm, große Motorradhandschuhe.

Der Reporter der *Castledean Gazette* schaute am nächsten Morgen auf der Suche nach einer Geschichte bei der Polizei vorbei. Aber die Verbrecher hatten sich eine ruhige Nacht gegönnt. Die Geschichte mit dem Motorroller war das Beste, was seine Freunde und Helfer zu bieten hatten. Immerhin war das was fürs Herz, und es ging um ortsansässige Leute. Daraus ließen sich ein paar Zeilen basteln ...

Heute früh um kurz nach eins stellte ein geheimnisvoller Spender einen alten Motorroller vor dem Pfarrhaus der presbyterianischen St.-Oswald-Kirche in der Moor Street ab. Father Leo McDonald, Pfarrer in St. Oswald, konnte einen kurzen Blick auf den Spender werfen, bevor dieser davonlief. Er beschreibt ihn als jungen Mann in einem dunkelblauen Trainingsanzug, dessen Kapuze tief ins Gesicht gezogen war. Die Augen waren hinter einer großen, dunklen Motorradbrille verborgen. Möglicherweise hatte er sich eine Strumpfmaske übers Gesicht gezogen.

»Er rannte weg, sowie ich die Tür geöffnet hatte«, sagte Father McDonald. »Am Morgen nahmen wir den Roller gründlich in Augenschein und entdeckten dabei in der Satteltasche einen Zettel, auf dem stand, daß der Roller ein Geschenk an die Gemeinde sei. Aber die seltsame Art der Übergabe läßt Zweifel aufkommen, ob wir das Recht haben, ihn zu behalten.«

Zwei Polizeibeamten, die mit dem Streifenwagen unterwegs waren, war der Motorroller eine halbe Stunde zuvor aufgefallen. Ihre Beschreibung des jugendlichen Fahrers deckt sich mit der, die der Pfarrer der Polizei gab.

Da das Gefährt kein Nummernschild hat, beschloß die Polizei, es als Fundsache zu behandeln. Wenn sich der Besitzer im Lauf der nächsten sechs Monate nicht meldet, wird die Gemeinde von St. Oswald um einen ausgezeichnet erhaltenen Oldtimer-Motorroller reicher sein.

Noch jemand hatte den Roller in der Nacht gesehen ... Anthea Fryer hatte in ihrem Schlafzimmer gerade die Vorhänge zugezogen, als Soobie den Motorroller durchs Tor schob. Anthea war müde, aber doch nicht zu müde, um sich darüber zu wundern, was der Mennym-Junge zu dieser nachtschlafenden Zeit vorhaben mochte.

»Sie sind eine seltsame Bande, das weiß ich genau«, sagte sie zu sich selbst. »Aber auf mich hört ja keiner. Und am Ende sieht es dann immer so aus, als wäre *ich* im Unrecht.«

# 23
# Was in der *Gazette* steht

Nachdem Soobie den Roller weggebracht hatte, wurde er von Pilbeam zu Hause in Empfang genommen.

»Du warst lange weg«, sagte sie. »Ich hab mir schon Sorgen gemacht. Ich dachte, es wäre etwas passiert.«

»Tut mir leid«, sagte Soobie. »Ich hatte nicht damit gerechnet, daß du auf mich wartest. Im Gedenken an alte Zeiten hab ich noch eine letzte Spritztour gemacht. Aber sonst ist alles ziemlich glatt über die Bühne gegangen. Keine größeren Probleme.«

»*Ziemlich* glatt?« sagte Pilbeam. Sie schloß daraus, daß doch nicht alles nach Plan verlaufen war.

Soobie erzählte ihr von dem jungen Pfarrer, der zu schnell die Tür geöffnet hatte.

»Das war alles«, sagte er, »kein Grund zur Sorge.«

Sosehr sich Soobie über So-tun-als-ob-Spiele lustig machte – in seiner Vorstellung davon, wie es auf der Welt zuging, war er naiver als seine Schwestern.

Am nächsten Tag wurde die gesamte Familie darüber informiert, daß der Motorroller fort war.

Soobie ersparte es Appleby, die Wahrheit zu sagen. »Ich fand es nicht richtig, ihn einfach verrosten zu lassen«, sagte er. »Und wir haben ja keine Möglichkeit, ihn Albert Pond zurückzugeben. Wahrscheinlich hat er uns längst vergessen.«

In letzter Zeit ging niemand mehr aus dem Haus, um eine Zeitung zu kaufen. Deshalb bekamen die Mennyms den Artikel in der *Castledean Gazette* nie zu sehen. Aber andere lasen ihn.

»Da!« sagte Anthea zu Connie und zeigte auf den Bericht in der *Gazette*. »Was hab ich dir gesagt? Mit diesen Mennyms stimmt etwas nicht.«

Connie las den Artikel, machte aber weiterhin ein verständnisloses Gesicht.

»Ich sehe da keine Verbindung«, sagte sie.

»Der Jugendliche auf dem Motorroller war der Junge aus der Nummer 5, der zu den unmöglichsten Zeiten joggen geht.«

Connie lächelte.

»Er wird nicht der einzige junge Mann mit einem dunklen Trainingsanzug sein. Die Beschreibung paßt auf eine ganze Reihe von Leuten.«

»Ha!« sagte Anthea. »Aber ich hab ihn *gesehen*! Ich hab gesehen, wie er irgendeine Art von Motorrad durch das Gartentor schob. Das war vorgestern nacht, und auch die Zeit kommt genau hin. Das kann nicht alles Zufall sein.«

Connie las den Bericht noch einmal gründlich durch.

»Wie ich das sehe«, sagte sie, »hat der Junge, von dem in dem Artikel die Rede ist, nichts Böses getan. Ganz im Gegenteil!«

»Soweit wir darüber Bescheid wissen«, sagte Anthea. »Diese Pfarrer schienen sich da nicht so sicher zu sein – und die Polizei weiß offensichtlich auch nicht, was sie davon halten soll.«

Connie schaute Anthea entnervt an.

»Was soll ich nur mit dir machen?« sagte sie. »Die Sache geht dich nichts an. Wenn dein Vater nicht wieder in Schottland wäre, um mit seinem neuen Haus zu spielen, würde ich mich mal mit ihm über deinen Mennym-Tick unterhalten.«

Anthea war empört.

»Ich habe weder einen Mennym-Tick noch sonst einen, und

ich möchte nicht zu Dads Psychiater gehen, recht herzlichen Dank.«

»Dann hör mir mal gut zu«, sagte Connie. »Im September kommt deine Mutter für immer nach Hause. Im Oktober heiratest du und machst dich nach Huddersfield davon. Und im November werden wir übrigen nach Schottland ziehen. Dann gehört Brocklehurst Grove der Vergangenheit an, und diese geheimnisvollen Mennyms werden nur noch eine Erinnerung sein. Misch dich also nicht ein.«

»Was heißt hier einmischen?«

»Nach all den Jahren kenne ich dich, Anthea Fryer. Du möchtest am liebsten zur Polizei laufen, dort Beschuldigungen erheben und Protokolle unterschreiben. Es könnte zu polizeilichen Untersuchungen kommen und zu Verhandlungen, bei denen du als Zeugin vor Gericht mußt. Dein Vater würde sich darüber ärgern, und deiner Mutter wäre es peinlich.«

Anthea richtete sich hochmütig auf. »Na und?« sagte sie. »Es ist schließlich mein Leben und nicht ihrs.«

»Und wie steht es mit der bürgerlichen Freiheit?« sagte Connie, um Anthea auf eins ihrer weniger gefährlichen Steckenpferde zu bringen. »Auch die Mennyms haben ihre Rechte.«

»Niemand hat das Recht, einen Motorroller zu stehlen und ihn dann zu verschenken«, sagte Anthea.

»Du hast gesehen, wie er den Roller aus seiner Auffahrt geschoben hat«, sagte Connie. »Ob er ihn gestohlen hat, wissen wir nicht.«

»Wir haben aber eine ziemlich gute Vorstellung davon. Vielleicht hat er ihn sogar seinen eigenen Eltern gestohlen. Der Beschreibung nach ist es ein Oldtimer.«

»Na schön«, sagte Connie. »Vielleicht haben seine Eltern ihn ja gebeten, den Roller in ihrem Auftrag zu beseitigen. Möglich, daß hier nicht mit offenen Karten gespielt wird, aber die Sache kann trotzdem absolut redlich sein. Komm, wechseln wir das Thema. In einer halben Stunde kommt Bobby.«

»Untersteh dich, ihm etwas davon zu erzählen«, sagte Anthea. »Er ist in diesem Punkt noch schlimmer als du.«

»Das ist auch ein Glück!«

An den nächsten beiden Tagen legte Anthea ihr allerbestes Benehmen an den Tag. Aber dann, als sie abends lange aus gewesen war, spätnachts nach Hause kam und wieder ihre Vorhänge zuzog, sah sie Soobie an ihrem Gartentor vorbeijoggen.

Er könnte alle möglichen Verbrechen verüben, dachte Anthea. Es gibt staatsbürgerliche Pflichten, und ich habe mir einreden lassen, daß ich sie vernachlässigen soll.

Und so ging Anthea früh am nächsten Morgen zur nächsten Telefonzelle und teilte der Polizei ihre Beobachtungen mit. Ihren Namen und die Adresse gab sie nicht an. Auf diese Weise konnte sie sich aus allem raushalten. Aber sie würde die weitere Entwicklung beobachten. Sie war fest davon überzeugt, daß es Entwicklungen geben würde.

Mick Storey überflog die Liste mit den Aufgaben des Tages. Der Anruf wegen des Motorrollers war aus Polizeisicht von untergeordneter Bedeutung, aber Mick interessierte sich dafür.

»Wir kommen heute vormittag dort vorbei«, sagte er. »Ich werde mal reinschauen und mich erkundigen.«

»Zeitverschwendung«, sagte sein Partner.

»Kann schon sein«, sagte Mick. »Aber ich würde so schrecklich gern mehr über diesen Motorroller erfahren.«

# 24
# Ein Polizist kommt vorbei

Poopie und Wimpey waren hinten im Garten auf der hölzernen Rutsche. Genauer gesagt, war Wimpey auf der Rutsche und Poopie kam hin und wieder auch mal an die Reihe, wenn er beim Unkrautjäten in den Blumenbeeten eine Pause machte. Es war ein märchenhafter Tag, ein Wetter wie aus dem Bilderbuch, warm und sonnig, aber gleichzeitig erfrischend klar.

Joshua ruhte sich auf dem Sofa im Eßzimmer aus. Das Fenster war offen, ebenso auch die Fenster in der Küche und im Frühstückszimmer. Pilbeam half ihrer Mutter, die obersten Regalfächer neu zu ordnen. Granny Tulip strickte. Die Weste gehörte zu einer ganzen Partie, die sie Harrods schicken wollte, wenn der Belagerungszustand für beendet erklärt worden war. Im Kinderzimmer war Miss Quigley damit beschäftigt, Googles zu »baden«. Dabei freute sie sich schon darauf, ein paar Stunden in einer geschützten Ecke des Gartens zu malen. Im Garten hinter dem Haus, versteht sich. Niemand durfte im Vorgarten spielen oder arbeiten.

Um zehn Uhr siebenunddreißig hielt ein Streifenwagen vor dem Gartentor von Brocklehurst Grove Nummer 5. Mrs. England, die ihren Hund ausführte, sah ihn kommen und wunderte sich kurz darüber, was er dort wollte. Anthea, die gerade einkaufen war, bekam nichts davon mit.

»Ich glaub nicht, daß es lange dauern wird«, sagte Mick, als er aus dem Wagen stieg. Die Hand am Gartentor, blieb er einen Augenblick stehen und sah sich um. Hier müßte ein Gärtner her, dachte er und betrachtete das hohe Gras und das üppig wuchernde Unkraut.

Soobie hatte gerade Wachdienst. Er hatte seine Bücher und Papiere beiseite gelegt und richtete seine volle Aufmerksamkeit auf die Welt draußen vor dem Fenster. Als er den Polizeibeamten am Tor stehen sah, witterte er die bevorstehende Katastrophe. Worte würden vielleicht nicht ausreichen, um diesen Besuch an der Tür abzuwimmeln.

Das Gartentor ging auf. Der Polizist kam die Auffahrt entlang.

Soobie sauste in die Küche.

»Es wird gleich klingeln, Mutter, aber du darfst AUF KEINEN FALL aufmachen. Mach das Fenster zu. Mach *alle* Fenster zu. Wir müssen die anderen informieren, daß sie ganz leise sein müssen.«

Vinetta fragte nicht nach dem Grund. Sie lief eilig ins Eßzimmer, um Joshua zu warnen. Pilbeam stürmte die Treppe hinauf und gab Appleby Bescheid. Soobie ging ins Kinderzimmer.

»Keine Bewegung«, sagte er zu Miss Quigley, die Googles in einer leeren Wanne sitzen hatte und gerade so tat, als ließe sie von einem trockenen Schwamm etwas Wasser auf den Kopf des Babys träufeln. »Bleiben Sie hier drin und rühren Sie sich nicht. Wenn er durch die Gardinen hereinschaut, kann er nichts deutlich erkennen, aber er könnte eine Bewegung bemerken.«

Es klingelte.

Aber die Zwillinge, die jüngeren Zwillinge, waren noch hinten im Garten. Soobie hörte Poopies Stimme und rannte zur Hintertür.

»Kommt rein, ihr zwei. Beeilt euch. Auf der Stelle.«

»Warum?« fragte Poopie.

»Das ist jetzt egal«, sagte Soobie. Er machte einen Satz nach draußen und packte die beiden am Arm. Sie wehrten sich nicht.

Da sie es mit der Angst zu tun bekamen, mußten sie nicht mehr dazu gedrängt werden, ins Haus zu laufen. Sie schlossen die Hintertür hinter sich ab und schoben den Riegel vor.

Es klingelte noch einmal.

Keiner da, dachte Mick Storey. Ist auch nicht weiter verwunderlich, bei diesem herrlichen Ausflugswetter.

Er ging ums Haus herum und versuchte es an der Hintertür, wobei ihm auffiel, daß der Garten hinter dem Haus viel ordentlicher war. Alles war fest verrammelt und verriegelt, und niemand ließ sich blicken. Sogar der Schuppen war mit einem Vorhängeschloß gesichert.

»Niemand daheim«, sagte Mick zu seinem Partner.

»Das wär's dann also.«

»Vielleicht ruf ich morgen mal an«, sagte Mick. »Wenn sich die Besitzverhältnisse des Rollers klären lassen, kann ich ihn vielleicht kaufen. Der Gemeinde von St. Oswald ist Geld bestimmt lieber.«

Der jüngere Polizist grinste ungläubig und fuhr weiter.

Soobie sah, wie der Wagen Brocklehurst Grove verließ, und rief seiner Mutter zu: »Die Luft ist rein. Sie sind wieder weg.«

Granny Tulip kam ins Wohnzimmer, immer noch mit dem Strickzeug in der Hand, und stellte sich hinter Soobie.

»Was er wohl wollte?« sagte sie. »Das hatte bestimmt etwas mit dem Motorroller zu tun. Hättest du mich vorher gefragt, hätte ich dir verboten, ein solches Risiko einzugehen. Das war völlig unnötig. Der Motorroller hat in unserem Schuppen ja kein Brot gefressen.«

Sie sagte das so verletzend, daß Soobie zusammenzuckte. Es lag nicht an den Worten, sondern am Tonfall, an der Art, wie sie sprach. Aber sie hatte recht. Welchen Grund konnte ein Polizeibeamter sonst haben, im Brocklehurst Grove Nummer 5 vorbeizukommen?

Die Bestätigung dafür kam gleich am nächsten Tag.

Das Telefon klingelte.

Tulip nahm ab.

»Hallo«, sagte sie. Es war ihre Angewohnheit, immer erst zu warten, bis der Anrufer sich gemeldet hatte.

»Mrs. Mennym?«

»Hier spricht Lady Tulip Mennym. Und wer sind *Sie*? Was wollen Sie?«

Die Stimme war scharf und betont abweisend.

»Hier ist das Polizeirevier von Castledean«, sagte Mick Storey schnell. »Bei uns wurde eine Motorroller abgegeben . . .«

Tulip fiel ihm ins Wort.

»Ich wüßte nicht, was mich das angeht. Wir besitzen keinen Motorroller. Wir haben nie einen Motorroller besessen und auch sonst keinerlei Fahrzeug.«

»Entschuldigen Sie die Störung«, sagte Mick Storey. »Aber wir haben die Information erhalten, daß der Motorroller möglicherweise von Ihrem Grundstück gestohlen wurde.«

»Da wurden Sie leider falsch informiert.«

»Entschuldigen Sie«, sagte Mick noch mal.

»Macht ja nichts«, sagte Tulip. »Jeder macht mal einen Fehler.«

Sogar Soobie, dachte sie und war sehr zornig auf diesen jungen Herrn.

# 25
# ... da war es nur noch eins

Die Konferenz, die unvermeidliche Konferenz, die darauf folgte, war die stürmischste, die sie je abgehalten hatten. Schon während der Ouvertüre knallten die Zimbeln aneinander, während Sir Magnus sich sonst einer leisen, trickreichen Einleitung bediente, wenn er etwas Schlimmes zu verkünden hatte.

»Setzt euch«, bellte er, »und zwar ein bißchen plötzlich. Meine Geduld ist erschöpft. Diese Familie ist so ungeheuer dämlich, daß sie von einer Katastrophe in die andere stolpert. Wer sich in Gefahr begibt, kommt darin um! Diesmal könnt ihr die Schuld nicht auf die Behörden schieben. Wenn bei uns alles zusammenbricht, habt ihr euch das selbst zuzuschreiben.«

Alle saßen sie mit unglücklichen Gesichtern da und fühlten sich sehr unwohl in ihrer Haut. Selbst Appleby hatte etwas von ihrer Keckheit eingebüßt. Sie hatte allen Grund, mit Hangen und Bangen dem Kommenden entgegenzusehen. Ihre kurze Eskapade mit dem Motorroller war immer noch ein Geheimnis. Pilbeam und Soobie hatten bisher nichts davon verlauten lassen. Und Poopie konnte ein Geheimnis viel besser für sich behalten als seine Zwillingsschwester. Aber würden sie womöglich schwach werden? Oder, noch schlimmer, würden sie zu dem Ergebnis kommen, daß es ihre Pflicht war, die ganze traurige Geschichte zu erzählen? Wegen der Disko-Affäre machte sie sich keine Sorgen. Niemand war dahintergekommen, und jetzt würde auch niemand mehr dahinterkommen. Die Zeit arbeitete für sie.

»Ihr alle habt Schuld daran«, sagte Magnus. »Alle miteinander. Wenn überhaupt eine Ausnahme gemacht werden kann, dann ist es Appleby.«

Die anderen schauten verwundert hoch.

»Appleby?« sagte Vinetta. »Nicht, daß ich sie beschuldigen möchte, aber ich verstehe wirklich nicht, wieso ihr Verhalten untadeliger sein soll als das von uns anderen.«

»Das will ich erklären«, sagte Sir Magnus. »Gehen wir die Liste durch. Du, Schwiegertochter, hast überall dazwischengefunkt und einen Belagerungszustand für beendet erklärt, der absolut noch nicht beendet war. Du hast Miss Quigley dazu angestiftet, sich aufzulehnen. Und was Miss Quigley anbetrifft, so hat sie uns zuerst mit den Einkäufen im Stich gelassen und dann noch mit diesem verflixten Kinderwagen eine Katastrophe heraufbeschworen. In den Park gehen! Enten füttern! Wie kann man nur so idiotisch sein.«

Er legte eine Pause ein, um nach Luft zu schnappen und seine Worte wirken zu lassen. Tulip betrachtete ihn genau und fragte sich, was er über sie sagen würde. Darauf brauchte sie nicht lange zu warten.

»Und du, Tulip, hast die Familie nicht straff genug an die Kandare genommen. Ich bin ans Bett gefesselt, voll und ganz ans Bett gefesselt. Von meiner Frau habe ich immer und in allen Dingen unbedingte Unterstützung erwartet. Habe ich die bekommen? *Nein*, das habe ich nicht!«

Verärgert kniff Tulip die Lippen zu einem dünnen Strich zusammen, sagte aber nichts. Sollte Magnus erst die anderen abfertigen, die wirklich Verantwortlichen. Ihr privater Streit konnte warten.

»Kommen wir als nächstes zur jungen Generation. Zu Pilbeam, die im Theater herumscharwenzelt und mit ihrem Flitterkram auf sich aufmerksam macht. Und schließlich zu Soobie, dem einzigen blauen Mennym, dem einzigen mit einem Gesicht, das auch in einer Menschenmenge nicht zu übersehen ist. Und ausgerechnet er fährt mit einem Motorroller umher, der ihm nicht einmal gehört, schmeißt ihn dann vor einer Kirche weg und und läßt sich dabei auch noch beobachten.«

Bei diesen Worten stieg tiefe, hilflose Trauer in Soobie auf. Ich bin, wie ich bin, sagte eine Stimme in seinem Herzen. Ich habe gelernt, mich als das zu akzeptieren, was ich bin. Bitte rühr nicht daran.

Auch Vinetta war zutiefst verletzt. Magnus wußte, wo es am meisten weh tat.

»Wenigstens kannst du Appleby nichts Böses nachsagen«, sagte Vinetta. »Da kann ich mich wohl glücklich preisen, daß ich immerhin eine Tochter habe, mit der du einverstanden bist.«

Soobie sah Appleby an und war versucht, die Geschichte zu erzählen, brachte es aber nicht über sich. Sie war seine Schwester, und auch wenn sie völlig unzuverlässig war und niemandem außer sich selbst echte Gefühle entgegenbrachte, so mußten die anderen das eben akzeptieren. Soobie konnte gar nicht anders, als ihr die Treue zu halten. Seine Loyalität verschloß ihm den Mund.

Pilbeam, die noch mehr von Applebys Missetaten wußte, schaute sie an und versuchte sie mit ihrem Blick dazu zu bewegen, ihren Anteil an der Sache mit dem Motorroller einzugestehen und sich edelmütig den Vorwürfen zu stellen. Aber da hatte sie keine Chance! Zu so etwas war Appleby gar nicht fähig. Sie hatte das Urteil ihres Großvaters angenommen, und wahrscheinlich hatte sie sämtliche Fehler, die sie je gemacht hatte, inzwischen ohnehin vergessen.

»Könnten wir doch nur zu früheren Zeit zurückkehren, als Appleby mein Laufmädchen war«, sagte Magnus, »ein Musterbeispiel an Diskretion, die einzige, der ich völlig vertrauen konnte! Aber das geht leider nicht, noch lange nicht.«

Vinetta setzte dazu an, Magnus an Applebys viele Fehler zu erinnern. Aber nach einem Blick auf ihre Tochter blieben ihr die Worte im Hals stecken. Die rothaarige, grünäugige Mennym saß im Schneidersitz auf dem Teppich, so behaglich und unergründlich wie eine Katze. Die Demütigung wäre zu groß.

»Was wollen wir also tun?« sagte Vinetta. »Du hast uns alle kritisiert, bis auf Appleby und Joshua, und für ihn wirst du bestimmt auch noch einige harte Worte finden, bevor der Abend zu Ende ist. Aber komm zur Sache, Magnus. Wir sind hier, um Überlegungen anzustellen, was zu tun ist, und nicht, um mit Beschuldigungen sinnlos die Zeit zu vertun.«

Die Versammlung fand bei Tageslicht statt. An diesem Juliabend war es noch nicht dunkel genug, um die Vorhänge zuziehen zu können. Aber jetzt zogen Wolken über Castledean auf, und der Sonnenuntergang ging von einem leuchtenden Rot in ein stumpfes Lila über. Graue Düsternis legte sich über das Zimmer, sowohl im wörtlichen als auch im übertragenen Sinn.

Joshua stand von seinem Platz an der Tür auf und knipste das Licht an. Pilbeam, die dem Fenster am nächsten war, zog an der Vorhangschnur. Niemand sprach. Alle warteten hilflos darauf, daß Magnus auf Vinettas Frage antwortete. Was sollten sie tun? Wie würde diese letzte Invasion ihr Leben verändern?

»Die Falle beginnt zuzuschnappen«, sagte Magnus. »Wir müssen alle im Haus bleiben. Auch Soobie. Denn jetzt könnte jeder Polizist, der ihn nachts auf der Straße sieht, sich dazu veranlaßt sehen, ihn anzuhalten und zu befragen. Auch der Garten hinter dem Haus muß von jetzt an zum verbotenen Gelände erklärt werden.«

Joshuas Gesicht nahm plötzlich einen wachsamen Ausdruck an.

»Du kannst mich nicht davon abhalten, zur Arbeit zu gehen,

Vater. Von *mir* hat noch nie jemand Notiz genommen.«

»Ich kann nicht beurteilen, ob das stimmt oder nicht«, sagte Magnus müde, »aber ich muß es akzeptieren. Wir brauchen immer noch jemanden, der zum Briefkasten geht. Rechnungen müssen beglichen werden.«

»Was ist mit dem Telefon?« fragte Tulip. »Wir haben ein paar unerwünschte Anrufe bekommen.«

»Das ist erledigt«, sagte Magnus. »Gestern habe ich bei der Telefongesellschaft angerufen. Wir haben jetzt eine Geheimnummer. Nur unser Anwalt bekommt die neue Nummer. Wir haben jetzt den größtmöglichen Grad an Abgeschiedenheit erreicht. Die Haustür und die Hintertür bleiben Tag und Nacht verschlossen. Außer Joshua braucht niemand einen Schlüssel, und er wird jedesmal wieder zuschließen, wenn er geht oder nach Hause kommt. Alle übrigen Schlüssel werden von Tulip verwaltet.«

Sir Magnus nahm keinerlei inneren Anteil an diesen Maßnahmen. Der Belagerungszustand war nicht mehr spannend, sondern nur noch eine elende Plage. Es war tatsächlich immer schlimmer geworden. Die Zeit, als Miss Quigley tagsüber auf die Straße konnte und Joshua und Soobie die Freiheit hatten, nachts nach Belieben zu kommen und zu gehen, erschien ihnen jetzt als der reinste Luxus. Sie waren auch noch zurechtgekommen, als von dreien nur noch zwei übriggeblieben waren.

Jetzt war es nur noch ein einziger Mennym, der nachts durch die Dunkelheit ging. Und wie lange würde das noch dauern? Die Mennyms gaben sich geschlagen.

# 26
# Briefe an Albert

Mein liebster, liebster Albert,

ich habe versucht, Dich zu vergessen, aber ich kann es nicht. Appleby sagt mir immer wieder, daß ich nur Dich aus dem Kopf schlagen muß, doch das ist unmöglich. Bitte komm uns noch ein einziges Mal besuchen. Laß uns wieder zusammen Gedichte lesen. Laß uns so tun, als kämen wir nicht aus zwei verschiedenen Welten ...

Der Brief war nicht zu Ende geschrieben und nicht unterzeichnet. Daneben lag noch ein weiterer unfertiger Brief auf Applebys Frisierkommode.

Lieber Albert,

aus praktischen Gründen ist es erforderlich, daß Sie noch einmal zum Brocklehurst Grove zurückkehren. Unsere Nachbarin, Miss Fryer, hat ein allzu großes Interesse an unseren Angelegenheiten entwickelt. Aus Furcht, entdeckt zu werden, können wir unser normales Alltagsleben nicht weiterführen. Wir sind nicht einmal mehr in der Lage, zum Postamt zu gehen. Mein Mann kann nur noch die allerdünnsten Manuskripte an seine

Verleger schicken, und ich mußte Bestellungen von Harrods ablehnen.

Besonders leid tun mir meine Enkelkinder. Sie sind daran gewöhnt, alles mögliche zu unternehmen. Jetzt kommen sie nirgends mehr hin. Der Garten ist vernachlässigt und verwildert zusehends. Wir wissen nicht mehr, was wir tun sollen. Bitte kommen Sie und helfen uns.

Auch bei diesem Brief fehlte die Unterschrift. Und darunter lag noch eine Epistel ...

Lieber Albert,

unser Leben ist unerträglich geworden. Wir können überhaupt nicht mehr vor die Tür. Und das meine ich so wörtlich, wie Du es Dir gar nicht vorstellen kannst. Seit zwei Wochen darf ich nicht mal mehr in den Garten hinterm Haus. Die Haustür und die Hintertür werden ständig verschlossen gehalten. Bis auf Vater, der immer noch zur Arbeit geht, sind wir Gefangene in unserem eigenen Haus.

Und das haben wir alles Anthea Fryer zu verdanken, dieser Frau aus der Nummer 9, die Du »Amazone« genannt hast ...

Die Briefe sahen so aus, als wären sie von drei verschiedenen Personen geschrieben, aber sie entstammten alle der Feder von einer einzigen Jugendlichen am Rande des Wahnsinns. Appleby fühlte sich wie im Käfig und suchte verzweifelt nach einem Weg in die Freiheit. Schreib an Albert Pond. Hol ihn her, damit er hilft. Aber welchem Ruf würde er folgen, welchen würde er ignorieren?

Die Briefe waren Fingerübungen. Appleby hatte sie liegenlassen, als sie ins Wohnzimmer ging, um sich mit Pilbeam an den runden Tisch zu setzen. Sie setzten ein Puzzle zusammen, das sie in Pilbeams Schrank ausgegraben hatten. Ihnen kam alles gelegen, was die Eintönigkeit unterbrach! Es war ein kreisrundes Puzzle von einer Himmelskarte.

Vinetta ging zu Magnus hinauf. Sie wollte versuchen, ihm die drakonischen Maßnahmen auszureden, denen ihr Leben jetzt unterworfen war. Als sie das oberste Stockwerk erreicht hatte, spürte sie von irgendwoher Zugluft. Vinetta ging den Flur entlang, um nachzusehen, was los war.

Applebys Tür stand einen Spaltbreit offen. War bei ihr das Fenster auf? Vinetta ging ins Zimmer und machte es zu. Als sie sich zum Gehen wandte, bemerkte sie, daß ein paar Papiere im Luftzug zu Boden geflattert waren. Vinetta bückte sich und hob sie auf. Sie wollte nicht schnüffeln, aber als sie den Namen *Albert* sah, las sie wie unter Zwang weiter.

Mit wachsendem Entsetzen las sie alle drei Briefe. Und fragte sich, was sie tun sollte. Dann bekam sie Gewissensbisse, weil sie Briefe gelesen hatte, die nicht für ihre Augen bestimmt waren. Sie legte sie wieder auf die Frisierkommode und ging in ihr Schlafzimmer hinunter, um in Ruhe nachzudenken.

Was sollte sie wegen der Briefe unternehmen? Appleby zur Rede stellen? Zugeben, die Briefe gelesen zu haben? Appleby ermahnen, keine Dummheiten zu machen? Es würde einen schrecklichen Krach geben. Und Vinetta haßte Kräche.

Dann ging ihr auf, daß Appleby zur Zeit gar keine Möglichkeit hatte, einen Brief an Albert aufzugeben. Und wenn der Belagerungszustand vorüber war, bestand keine Veranlassung mehr dazu. Im Augenblick mußte nur einer gewarnt werden. Es war denkbar, sehr gut denkbar, daß *er* einen Brief einwarf, ohne sich darum zu kümmern, welche Adresse auf dem Umschlag stand.

»Was immer auch passiert«, sagte Vinetta zu Joshua, »wirf

auf keinen Fall einen Brief für Appleby ein. Ich glaube, sie ist auf die Idee verfallen, an Albert Pond zu schreiben.«

Doch als Appleby den Brief, den sie abschicken wollte, endlich fertig hatte, unternahm sie keinen Versuch, ihren Vater zu überreden, ihn für sie einzuwerfen. Sie paßte einfach eine günstige Gelegenheit ab und stahl einen Schlüssel aus Tulips Schrank. Sie hatte beschlossen, daß der Brief ein Hilferuf von Pilbeam sein würde. Sie würde ihn in den frühen Morgenstunden aus dem Haus schmuggeln und einwerfen. Das würde nicht leicht werden. Sie mußte listig sein, und was den richtigen Zeitpunkt betraf, so brauchte sie eine gehörige Portion Glück. Vielleicht würde sie ihr Vorhaben mehrmals wieder aufgeben müssen, falls Tulip auf der Lauer lag.

Etwas hatte Appleby jedoch nicht mit einkalkuliert. Es gab etwas, was sie nicht wußte. Die ewig mißtrauische Tulip kontrollierte regelmäßig die Ersatzschlüssel, um sich zu vergewissern, daß keiner abhanden gekommen war.

Der Brief lag fertig in seinem Umschlag, frankiert und adressiert. Im Haus war es still. Unterwegs zu ihrem Zimmer auf der anderen Flurseite hörte Appleby die Stimme von Granny Tulip, die mit Granpa sprach. Erst Stunden später befand Appleby es für ungefährlich, die Treppe hinunterzuschleichen und auf Zehenspitzen zur Haustür zu gehen. Es sah ganz so aus, als sollte sie schon beim erstenmal Glück haben.

Dann, als sie gerade den Schlüssel ins Schloß gesteckt hatte, ging die Tür zum Frühstückszimmer auf, und ein kräftiger Lichtstrahl durchschnitt den düsteren Flur.

Appleby fuhr zusammen. Als sie sich umdrehte, sah sie ihre Großmutter dort stehen. Sie sah böse und mächtig aus, und ihre Kristallaugen funkelten.

»Gib das her«, sagte sie und riß Appleby den Brief aus der Hand.

Appleby war zu erschrocken, um Widerstand zu leisten. Tulip schaute auf den Umschlag, um die Adresse zu lesen, und riß ihn dann auf. Entsetzt sah Appleby zu, wie ihre Großmutter sich die Brille zurechtrückte. Sie las den Brief vor, mit lauter Stimme, die durch den ganzen Flur hallte.

»Einen solchen Unfug hab ich noch nie gehört«, sagte sie, als sie fertig war. »Was liest du in deinen stillen Stunden denn für einen Mist?«

»Du hattest kein Recht, das zu lesen«, sagte Appleby, in der plötzlich Zorn emporloderte. »Das ist mein Brief, nicht deiner.«

»Dein Brief? Wieso steht dann Pilbeams Name darunter? Wart nur, wenn dein Großvater das sieht!«

Vinetta stand oben an der Treppe. Hinter ihr tauchte nun auch Wimpey auf. Beide waren von den Stimmen geweckt worden.

»Was ist denn los da unten?« fragte Vinetta.

»Appleby hat den Verstand verloren, das ist los«, sagte Tulip. Dann wandte sie sich wieder zu Appleby um und sagte: »Gib mir den Schlüssel. Und jetzt marsch ins Bett. Wir reden morgen früh darüber.«

Appleby schleuderte den Schlüssel quer durch den Flur.

»Da hast du deinen blöden Schlüssel«, sagte sie. »Und du weißt ja selbst, was du damit machen kannst.«

Sie schob sich an ihrer Mutter und ihrer Schwester vorbei, stürmte die Treppe hinauf und dann auch noch die nächste in den zweiten Stock. Dort ging sie jedoch geradewegs an ihrem Zimmer vorbei und stieg die kahle Treppe zum Dachboden hoch. Sie knallte die Dachbodentür hinter sich zu und verbarrikadierte sie mit der Truhe aus Weidengeflecht, die immer noch da stand. Dann setzte sie sich in den Schaukelstuhl und schluchzte.

# 27
# Im Wohnzimmer

D u hast sie gedemütigt«, sagte Pilbeam.
»Das hatte sie auch verdient«, sagte Tulip.
»Niemand verdient es, gedemütigt zu werden, ganz egal, was
er getan hat«, sagte Pilbeam heftig.

Tulip war verständlicherweise sehr böse auf ihre Enkeltochter, aber es war deutlich zu sehen, daß sie auch sehr stolz darauf
war, mit welch meisterhaftem Geschick sie den versuchten Ver-
rat verhindert hatte. Sie hatte die Geschichte der vergangenen
Nacht mit sichtlichem Genuß erzählt – angefangen von der
Falle, die sie dem Schlüsseldieb gestellt hatte, bis zu der Szene,
die mit Applebys rasendem Abgang auf den Dachboden endete.

»Und von mir aus kann sie dort bleiben«, sagte Tulip. »Soll
sie doch da oben hocken, bis ihr Stoff zerschlissen ist.«

Es war zehn Uhr morgens. Und wieder ein warmer, sonniger
Tag. Joshua hatte hereingeschaut, als er von der Arbeit gekommen war, hatte die spannungsgeladene Atmosphäre gespürt
und sich in sein Zimmer geflüchtet. Wimpey und Poopie waren
im Spielzimmer. Eigentlich spielten sie *Scrabble*, aber in Wirklichkeit lauschten sie aufmerksam den lauten Stimmen.

Soobie, in seinem Sessel am Fenster, war in tiefe Melancholie
versunken und sagte nur wenig. Die anderen – Tulip, Vinetta
und Pilbeam – machten sein Schweigen wieder wett. Die Ereignisse der Nacht mußten gründlich wiedergekäut werden.

»Ich habe ein paar Zettel gelesen, die ich in ihrem Zimmer gefunden hatte. Das müssen ihre Briefentwürfe gewesen sein«, sagte Vinetta zu Pilbeam. »Das hätte ich nicht tun sollen, aber als ich den Namen von Albert Pond sah, konnte ich einfach nicht anders.«

Sie erzählte von dem Luftzug, der ihr die Briefe vor die Füße geweht hatte. Bedrückt wartete sie auf Pilbeams Reaktion.

»Du hast nichts Böses getan, Mum«, sagte Pilbeam. »Es war vernünftig, Vater davor zu warnen, für Appleby irgendwelche Briefe aufzugeben. Und du hast sie nicht bloßgestellt.«

»Aber ich habe etwas Böses getan«, sagte Tulip. »Wolltest du das damit sagen?«

Tulip sprühte vor Zorn.

»Ja, Granny«, sagte Pilbeam, »ich finde schon. Aber vielleicht kannst du ja nichts dafür. Du stehst unter Druck. Wir stehen alle unter Druck.«

Sie führte nicht weiter aus, daß ihrer Ansicht nach nur eine Person für das ganze Elend verantwortlich war – der vom Verfolgungswahn besessene Tyrann in seinem Bett oben im zweiten Stock.

»Wie kannst du es wagen, Ausreden für mich zu suchen? Schließlich bin ich noch nicht senil!« sagte Tulip. »Wollen wir uns nicht lieber auf die wirkliche Schuldige konzentrieren? Appleby wollte mit einem gestohlenen Schlüssel das Haus verlassen, um einen gefälschten Brief an Albert Pond aufzugeben. Das ist wohl kaum die Tat eines Unschuldslamms! Was hättest du denn getan, wenn du sie erwischt hättest, Pilbeam, du Neunmalkluge? Sie laufenlassen?«

»Nein«, sagte Pilbeam. »Ich hätte von ihr verlangt, daß sie mir den Brief und den Schlüssel aushändigt.«

»Genau das habe ich getan.«

»Dann hätte ich den Namen und die Adresse auf dem Umschlag gelesen. Aber ich hätte den Brief nicht geöffnet. Ich hätte Appleby in aller Deutlichkeit klargemacht, daß sie unter keinen

Umständen an Albert Pond schreiben darf. Und dann hätte ich den Brief ungeöffnet in kleine Schnipsel zerrissen.«

»Auf diese Weise hättest du nie erfahren, daß sie deine Unterschrift gefälscht hat«, sagte Tulip. »Daß sie blödes, sentimentales Zeug geschrieben und *deinen Namen* daruntergesetzt hat.«

»Was ich nicht weiß, macht mich nicht heiß.«

Soobie schaute zu ihr hin und wußte plötzlich, daß seine Zwillingsschwester zutiefst gekränkt war, vielleicht tiefer, als es jemals jemand erfahren würde. Gekränkt und gedemütigt.

Tulip hielt den Brief in der Hand.

»Ich habe ihn Granpa noch nicht gezeigt«, sagte sie. »Wenn er ihn sieht und erfährt, wie sich sein teurer Liebling benommen hat, wird er aschfahl werden. Er wird über alle Maßen empört sein.«

Soobie ergriff das Wort.

»Du darfst ihm den Brief nicht zeigen. Du darfst ihm nichts davon erzählen. Dadurch wird nur Böses mit Bösem vergolten.«

Tulip ging auf ihn los.

»Jetzt fängst du auch noch an! Du unterstehst dich, *mir* Vorschriften zu machen, was ich tun soll?«

»Ja«, sagte Soobie, »das tue ich.«

Vinetta hatte ihnen allen aufmerksam zugehört. Jetzt tat sie ihre Ansicht kund – und mehr als nur ihre Sicht der Dinge, nämlich ihre unabänderliche Entscheidung.

»Gib mir den Brief, Tulip«, sagte sie. »Ich habe schon genug durchgemacht. Dieser Brief muß zerrissen und vergessen werden.«

Tulip kam sich immer ganz klein vor, wenn ihre Schwiegertochter in diesem Ton mit ihr sprach. Sie wurde zu dem, was sie war – eine kleine, alte Frau anstatt der herrschenden Matriarchin, in deren Rolle sie sich so gut gefiel.

»Gib mir den Brief«, sagte Vinetta noch einmal.

Grollend händigte Tulip ihr den Brief aus.

Winzige Papierschnipsel schwebten in den Korb am Kamin.

»Und jetzt«, sagte Vinetta, »müssen wir ein sehr viel schwierigeres Problem angehen. Appleby hat sich auf dem Dachboden eingeschlossen. Ich wollte heute früh zu ihr hinein, aber sie hat die Tür verbarrikadiert. Sie hat mir nicht mal geantwortet, als ich nach ihr rief. Wie wollen wir sie dazu bewegen, wieder herauszukommen?«

»Gib dir keine Mühe«, sagte Soobie. »Granny hat sich in der Sache mit dem Brief falsch verhalten, aber das macht Appleby noch lange nicht zum Engel. Laß sie erst mal dort, wo sie ist. Ihr wird es noch früh genug langweilig werden.«

Ihre Stimmen waren so leise geworden, daß sie hören konnten, wie die Zwillinge sich im Spielzimmer zankten.

»Aber ich habe gewonnen. Du weißt ganz genau, daß ich gewonnen habe. Du bist ja bloß neidisch, weil ich mehr Wörter kenne als du.«

»Du hast geschummelt«, sagte Poopie. »Ich glaub dir nicht, daß *poggel* ein richtiges Wort ist. Du erfindest Wörter, wie du sie brauchst. Es macht überhaupt keinen Spaß, mit dir zu spielen.«

Der Streit begann allzu hitzig zu werden. Vinetta ging hastig hinüber, um die Wogen zu glätten.

# 28
# Auf dem Dachboden

Appleby saß im Schaukelstuhl auf dem Dachboden und wiegte sich in den Schlaf. Schlaf ist ein wunderbarer Ort, an den man sich flüchten kann, wenn das Leben zu schmerzlich wird. Und Appleby, die manchmal so unsensibel und dann wieder so verwundbar sein konnte, war tief verletzt. Es war schrecklich, ertappt zu werden und so dumm dazustehen. Der Spott ihrer Großmutter hatte brennende Wunden gerissen. Die Kränkung reichte tiefer als ihr Stolz. Ihre ganze Selbstachtung wurde davon vernichtet. *Sie* wußte ja, wie blöd der Brief klang. Sie hätte gut darauf verzichten können, ihn von Tulips boshafter Stimme vorgelesen zu bekommen. Und Mutter und Wimpey, die sich über das Treppengeländer beugten und zusahen, wie Granny ihren Hohn wie Gift über sie ergoß ... Das war gemein. Es war so gemein!

Als der Morgen die Dachfenster hell werden ließ, lag Appleby in süßem Schlummer. Dabei sah sie sehr jung und unschuldig aus. Sie war so erschöpft, daß sie den neuen Tag erst wahrnahm, als Vinetta an die Dachbodentür klopfte und sie zu öffnen versuchte. Die Tür klapperte, aber die Barrikade hielt.

»Komm schon, Appleby«, sagte ihre Mutter. »Sei nicht albern. Komm heraus und stell dich der Situation. Bring's hinter dich.«

Im Tonfall ihrer Mutter lag etwas, was Appleby leicht erstaunte. Es schwang Komplizenschaft mit, eine Bereitschaft, ihrer Tochter den Rücken zu stärken, ohne sich darum zu kümmern, ob sie Unterstützung verdient hatte. Aber wie dem auch sei, Appleby war noch nicht soweit, die Konsequenzen auf sich zu nehmen. Deshalb sagte sie nichts, und Vinetta gab auf und ging fort.

Der Tag schleppte sich dahin. Als die Sonne über den Dachfirst gestiegen war und ihr Licht über den Fußboden ergoß, war Appleby hellwach, zornig auf alle und gelangweilt.

Sie stand aus dem Schaukelstuhl auf und spazierte durch den Raum. Es hatte sich nichts verändert, seit sie sich das letztemal hier verkrochen hatte, damals, als sie sich nach ihrer Rückkehr von Comus House vor Joshua versteckte. Bücher, Truhen, Gerümpel und Staub ... alles war gleichermaßen wertlos für eine Jugendliche, die hier in der Falle saß. Sie hatte sich ein Gefängnis innerhalb des Gefängnisses geschaffen. Allerdings war es ein ziemlich großes Gefängnis. Der Dachboden war genauso breit und tief wie das ganze Haus, eine stabile, mit Dielenbrettern versehene Fläche unter dem Dachstuhl. Am anderen Ende befand sich noch eine Tür, so tief im schattigen Dunkel verborgen, daß sie leicht zu übersehen war.

Appleby stieß ganz zufällig auf diese Tür, müßig, ohne besondere Absicht. Sie war ein Spiegelbild der Tür auf der anderen Seite des Raums – nur daß die eine Seite kürzer war als die andere, entsprechend der Dachschräge. Das ist aber komisch, dachte Appleby, es gibt doch gar keine zweite Treppe. Das ist bestimmt ein Schrank. Was da wohl drin ist? Mit der rechten Hand langte sie nach dem Türgriff.

»Nicht!« sagte eine Stimme, und Appleby wußte nicht, ob die Stimme aus ihrem Kopf oder vom Dachboden kam. Doch die Hand, die schon am Türknauf drehen wollte, hielt schlagartig inne.

»Mach die Tür nicht auf«, sagte die Stimme, deutlicher als zuvor.

Appleby wirbelte herum und schaute sich im Raum um. Dort, am anderen Ende des Dachbodens, auf der Weidentruhe, die Appleby als Barrikade benutzte, saß Tante Kate.

»Wer um alles in der Welt bist du?« fragte Appleby, die zu verblüfft war, um sich zu fürchten.

Wie immer sah Kate stabil gebaut und völlig ungespenstisch aus. Genauso war sie auch Albert Pond erschienen.

»Ich bin Kate Penshaw«, sagte sie. Ihre Stimme war leise, aber fest. Mit ihrem Erscheinen verstieß sie gegen eine Regel, die sie bisher als absolut unumstößlich akzeptiert hatte. *Nun ja, was erwartet man von mir?* schoß es ihr trotzig durch den Kopf. *Schließlich ist das ein Notfall. Was sollte ich denn sonst tun?*

Appleby starrte sie, völlig verblüfft, mit offenem Mund an.

»Du bist ein Gespenst«, sagte sie mit einer Stimme, die ganz offensichtlich an der Wahrheit der eigenen Aussage zweifelte. »Du siehst aber nicht wie ein Gespenst aus«, fügte sie hinzu.

»Ich fühl mich auch nicht wie eins«, sagte Kate. Aber sie wurde innerlich schon ganz schattenhaft. Dieses gesetzwidrige Gespräch laugte ihre Kräfte aus.

»Was willst du?« fragte Appleby, die sich immer noch nicht sicher war, ob es sich bei dieser Frau wirklich um ein Gespenst handelte. »Eine Einbrecherin scheinst du nicht zu sein.«

»Das will ich meinen«, sagte Kate. »Ich habe in meinem Leben schon allerhand gemacht, aber gegen das Gesetz habe ich nie verstoßen. Bis jetzt.«

Appleby trat ein paar Schritte auf sie zu. Sie war ganz so, wie Albert Pond sie beschrieben hatte. Die Haare grau und drahtig, das Gesicht energisch und vernünftig, die gesamte Erscheinung sehr solide und real.

»Komm mir nicht näher«, sagte Kate. »Und bevor du zu sehr darüber nachgrübelst, was *ich* bin, denk doch mal dran, was *du* bist.«

»Also, was willst du?« fragte Appleby. »*Etwas* wirst du ja

wollen.« Jetzt, wo sie keine Angst mehr hatte, sprach sie mit scharfer Ungeduld in der Stimme. Von Applebys Grobheit blieb keiner verschont, nicht einmal die Frau, die sie geschaffen hatte.

»Ich habe dir schon gesagt, was ich will«, sagte Kate. »Ich verstoße gegen eine der grundlegenden Regeln meiner Existenz, nur um zu dir zu kommen und dich davor zu warnen, diese Tür zu öffnen.«

Appleby warf den Kopf in den Nacken. »Und warum?« fragte sie. »Es ist bloß eine Tür, und sie befindet sich in unserem Haus. Ich kann sie aufmachen, wann ich will.«

»Das würdest du bereuen«, sagte Kate. »Mehr wage ich nicht zu sagen. Ich habe schon genug gesagt. Denk daran, ich habe dabei mitgewirkt, dich zu erschaffen. Es liegt mir sehr am Herzen, was mit dir geschieht.«

Die Liebe, die aus Kates Stimme sprach, hallte durch den Raum.

Appleby geriet ins Schwanken. Sie sah auf den Türgriff hinunter. Als sie wieder aufschaute, war das Gespenst verschwunden.

Einige Augenblicke stand Appleby da wie Eva, als sie mit dem Apfel in Versuchung geführt wurde. Sie betrachtete die verbotene Tür, während die widersprüchlichsten Gefühle in ihr tobten. Aufsässigkeit war ihr zur zweiten Natur geworden, aber dennoch – es war etwas Ungeheuerliches vorgefallen! Ihr, Appleby Mennym, die ausgelacht worden war, als sie behauptet hatte, über geheimes Wissen zu verfügen, war die Ehre zuteil geworden, ein echtes, lebendiges Gespenst zu sehen.

Ihre rechte Hand langte wieder nach dem Türgriff, aber die linke zog sie zurück. Wenn Kate den Anlaß wichtig genug fand, um ihr zu erscheinen, war es vielleicht doch ein allzu großes Wagnis, diese Tür zu öffnen. Außerdem mußte die Tür schon immer hier gewesen sein und würde auch immer hier bleiben. Sie konnte sie ja ein andermal öffnen.

In den Schaukelstuhl konnte sie jetzt nicht mehr zurückkehren, das war ausgeschlossen. Es war unvorstellbar, bis zum Einbruch der Dunkelheit auf dem Dachboden zu bleiben. Ein Gespenst ist immerhin ein Gespenst. Die Abendschatten können bedrohlich sein. Ein eingebildeter Geist in der Luft des dunklen Dachbodens wäre furchterregender, als es die Gestalt von Tante Kate gewesen war. Appleby baute die Barrikade ab und ging die Treppe hinunter.

»Du hast also beschlossen, dich wieder blicken zu lassen«, sagte Granny Tulip, als Appleby ins Wohnzimmer kam.

»Komm her und setz dich«, sagte Vinetta ruhig.

Sonst war nur noch Pilbeam im Zimmer. Appleby schätzte die Situation ein. Sie konnte spüren, daß ihre Mutter und ihre Schwester zu ihr halten würden, wenn sie nur im richtigen Augenblick das Richtige sagte. Das fiel ihr nicht leicht, und sie konnte sich nicht dazu durchringen, es freundlich zu sagen.

»Tut mir leid«, sagte sie und schaute trotzig in die Runde. »Mir war langweilig. Man macht alle möglichen komischen Sachen, wenn einem langweilig ist. Ich hasse es, eingesperrt zu sein. Ihr könnt euch gar nicht vorstellen, wie sehr ich das hasse.«

»Wir hassen es alle«, sagte Pilbeam mit einem vorwurfsvollen Blick zu ihrer Mutter hinüber.

»Ich weiß«, sagte Vinetta. »Es ist nicht einfach. Ich werde noch einmal mit Granpa sprechen. Mal sehen, was ich erreichen kann. Vielleicht dauert es ja nicht mehr lange.«

Tulip sagte nichts, war aber alles andere als zufrieden. Magnus hatte ihr vorgeworfen, die Familie nicht fest genug an der Kandare zu halten. Wenn es nach Vinetta ginge, würde es überhaupt keine Kandare mehr geben.

Von dem Gespenst auf dem Dachboden sagte Appleby nichts. Dieses Wissen wollte sie mit niemandem teilen, jetzt noch nicht.

# 29
# Poopie und Wimpey

Brocklehurst Grove Nummer 5 stand genau in der Mitte von jener Seite des Platzes, die von der Hauptstraße am weitesten entfernt war. Links und rechts davon erstreckte sich der Rest der Straße, wie zwei Arme, die am Ellbogen abgewinkelt waren. Wer neben ihnen wohnte, hatte keinen Grund, am Haus der Mennyms vorbeizugehen, und es kamen tatsächlich nur wenige Leute vorbei.

Es konnte sehr ermüdend werden, nach herannahenden Problemen Ausschau zu halten, aber Wimpey übernahm pflichtbewußt ihren Wachdienst, dreimal die Woche jeweils volle zwei Stunden, in denen sie stillsitzen mußte und nichts anderes tun konnte, als aus dem Fenster zu sehen. Für ein Kind ihres Alters war das eine lange Zeit.

An einem Nachmittag Anfang September saß Wimpey in Soobies Sessel und betrachtete die leere Straße. Schon seit fast einer Stunde war sie hier allein. In dieser Zeit war zweimal Mrs. England vorbeigekommen, um ihren Hund auszuführen. Ein Junge war mit dem Fahrrad vorbeigesaust. Ein Wagen war aus der Auffahrt von Nummer 3 gekommen und in die entgegengesetzte Richtung davongefahren.

Nie passiert etwas, dachte Wimpey. Es gab nur einmal ein bißchen Aufregung, als Anthea Fryer sich von links näherte und Mrs. Jarman aus dem Haus Nummer 4 kam und zur Nummer

6 ging, um Wendy England zu besuchen. Die beiden würden vor dem Gartentor der Mennyms zusammentreffen, wie es schon einmal der Fall gewesen war. Vielleicht blieben sie auch diesmal stehen und redeten und zeigten zum Haus hin. Ihr würden vor Angst die Knie schlottern, aber dann hätte sie wenigstens etwas zu berichten!

Doch sie blieben nicht stehen, um sich zu unterhalten. Mrs. Jarman und Miss Fryer sprachen kaum noch miteinander, seit die ältere Frau die jüngere energisch in die Schranken gewiesen hatte. Dieser neugierige Neuankömmling, der, wenn überhaupt, erst seit fünf Jahren in der Straße wohnte, hatte doch tatsächlich versucht, Andeutungen über die Mennyms zu machen. In den vielen Jahren ihrer Nachbarschaft hatte Mrs. Jarman mit keinem der Mennyms jemals direkt gesprochen und war sich ihrer Existenz nur äußerst vage bewußt, aber sie waren harmlos, sie waren in der Straße verwurzelt, und wenn sie angegriffen wurden, fühlte sich Mrs. Jarman dazu berufen, sie in Schutz zu nehmen.

»Gute Zäune«, hatte sie zum Abschluß gesagt, »machen gute Nachbarn.«

Nach all den Jahren war sie plötzlich in der Lage, diesen Satz an jemanden weiterzugeben, der es ganz offensichtlich nötig hatte, an das Recht auf ein Privatleben erinnert zu werden.

Vinetta kam ins Wohnzimmer und betrachtete liebevoll die Zehnjährige, die so still und konzentriert dasaß. Mutterliebe ist ein Zaubermittel.

»Müde?« fragte Vinetta.

»Jetzt noch nicht«, sagte Wimpey, die fest entschlossen war, nicht aufzugeben. »Ich hab noch eine Stunde vor mir, bis Soobie den Wachdienst übernimmt.«

»Hast du etwas gesehen?«

»Nur das Übliche«, sagte Wimpey. »Nichts Gefährliches oder Aufregendes.«

»Aber das ist doch gut«, sagte Vinetta. »So wollen wir es ja haben. Je länger es so bleibt, desto schneller ist der Belagerungszustand vorbei.«

Vinetta zog sich einen Stuhl heran und setzte sich neben Wimpey. Einige Minuten lang beobachteten sie schweigend die Straße.

»Man ist einsam, wenn man eine Lumpenpuppe ist«, sagte Wimpey aus heiterem Himmel.

»Das stimmt wohl«, sagte Vinetta, »aber auch Menschen können einsam sein. Denk an Albert.«

»Aber sie werden erwachsen und alt und sterben«, sagte Wimpey. Sie war noch zu klein, um so etwas verstehen zu können, schlug sich aber dennoch mit diesen Gedanken herum. »Was wird aus uns?«

»Darüber habe ich schon oft nachgedacht«, sagte Vinetta. Sie war eine Mutter, die ihren Kindern gegenüber nie herablassend war, ihre Fragen ernst nahm und sich um eine ernsthafte Antwort bemühte. »Ich glaube, wir sind gar nicht so anders als die Leute da draußen. Wir sind Teil eines wunderbaren Spiels, und wenn das Spiel zu Ende ist, wird Gott uns in seiner Tasche sicher nach Hause tragen.«

Die Antwort war kindgerecht, aber nicht kindisch. Sie brachte bildlich zum Ausdruck, was Vinetta aufrichtig glaubte.

Auf ihre Weise waren die Mennyms eine christliche Familie. Wimpey sprach abends immer ihr Gebet, einschließlich der furchterregenden Zeilen, in denen vom Sterben die Rede war.

Das alles gehörte zum täglichen Leben. Seit sie Stunden damit verbrachte, nichts anderes zu tun als aus dem Fenster zu schauen, versuchte Wimpey zum erstenmal, die Wirklichkeit zu begreifen. Die Schutzhülle des So-tun-als-ob wurde langsam dünn.

»Woran glaubt Dad?« fragte sie.

Vinetta lächelte.

»An seine Familie, seine Arbeit und an den Port-Vale-Footballverein«, sagte sie.

»Und wird Gott auch ihn nach Hause tragen?«

»Das denke ich doch«, sagte Vinetta. »Es muß aber schon eine große Tasche sein!«

Der Junge mit dem Rad fuhr wieder vorüber. Mrs. England stand an der Tür und verabschiedete sich von Mrs. Jarman.

Poopie übernahm jetzt keinen Wachdienst mehr. Er konnte es nicht ertragen, den Garten immer mehr verwildern zu sehen. Seit drei Wochen hatte er sein Zimmer nicht mehr verlassen. Aber er schmollte nicht und litt auch keine Langeweile. Er hatte das ganze Zimmer in einen tropischen Dschungel verwandelt, in dem Soldaten in grüner Tarnkleidung gegen Männer in Braun kämpften. Es war ein harmloser Krieg, in dem die Beteiligten mehrfach starben, ohne je wirklich tot zu sein. In langen Kampfjahren hatte es nur ein echtes Opfer gegeben, den bösen Basil, der einen Arm verlor, aber trotzdem weiterkämpfte.

In einer Ecke des Zimmers trug der Hocker einen hohen Beobachtungsposten, den die Grünen eingenommen hatten. Die Braunen, angeführt von Hector, kontrollierten die Hängebrücke aus Seilen, ein echter Schatz, den Poopie letztes Jahr zu Weihnachten bekommen hatte.

Poopie hatte keinerlei Skrupel, selbst die schwersten Möbelstücke im Zimmer herumzurücken. Sein Bett wurde in die Ecke am Fenster geschoben. Auf dem Bett war Paddy Black, das Kaninchen, als Oberbefehlshaber postiert. Seine rosa Augen schauten so ängstlich drein wie eh und je, obwohl er nur ein ganz normales Stofftier war. Vinetta hatte ihn gemacht, und seither hatte er nie auch nur mit einem Schnurrbarthaar gezuckt, egal, was Poopie sich auch einbilden mochte.

Normalerweise blieb Paddy in dem Häuschen, das Joshua für ihn gebaut hatte – aus poliertem Holz, splitterfrei und mit einer Tür aus kupfernem Maschendraht. Das Häuschen wurde jetzt aber für die Kriegsspiele benötigt. Es war ein ideales Gefängnis für die gefangenen Braunen. Die Grünen, die normalerweise auf der Verliererseite standen, weil ihr Anführer der unheilvolle Basil war, mußten sich mit einer Schuhschachtel begnügen. Und so waren das Häuschen und die Schachtel Gefängnisse im Gefängnis im Gefängnis. Nur daß Poopie sein Zimmer nicht als Gefängnis empfand. Denn wie der Dichter sagt, sind die Gedanken frei.

# 30
# Appleby und Pilbeam

An einem trüben Tag Anfang September stiegen Appleby und Pilbeam die Treppe zum Dachboden hinauf. Der Vorschlag stammte von Appleby. Pilbeam wußte nicht, was das sollte, aber sie respektierte den Dachboden als geheimen Ort, an dem man sich Geheimnisse anvertrauen konnte.

»Also gut«, sagte sie, als sie die Tür hinter sich geschlossen hatten, »worin besteht das Geheimnis?«

Sie machte sich Sorgen, daß vielleicht Tony wieder auf der Bildfläche erschienen war. Bei Appleby konnte man nie so ganz sicher sein. In den langen, qualvollen Augustwochen hatten sie ihn ein paarmal vom Fenster aus gesehen. Er war mehrmals am Haus vorbeigekommen, ohne zu ahnen, daß er durch die schweren Gardinen beobachtet wurde. Die Episode mit Appleby war in seiner Erinnerung auf den Platz gerückt, der ihr zukam – irgendwo hinter der Fehde, die er im letzten Trimester mit seinem Geschichtslehrer ausgefochten hatte, und weit, weit hinter den fünfzig Punkten, die er im Match gegen das St.-Bee-Internat erzielt hatte.

»Du hast doch nichts angestellt?« fragte Pilbeam, als sie es sich im Schaukelstuhl bequem machte und Appleby den weniger erhabenen Platz auf der Fußbank überließ. Auf dem Dachboden, den sie immer noch als *ihren* Dachboden betrachtete, war Pilbeam die Königin. In ihrer romantischen Sicht der Dinge hatte sie hier vierzig Jahre unter einem Zauberbann zugebracht, bis ihr Zwillingsbruder Soobie sie fand und ihre Mutter sie zum Leben erweckte. Die wahre Geschichte, die sie niemals erfahren würde, war trauriger, aber noch viel wunderbarer. Vierzig Jahre lang hatte sie unfertig in einer Weidentruhe gelegen, und Vinetta hatte noch sehr viel mehr getan, als sie zum Leben zu erwecken. Sie hatte sie aus verstreuten Einzelteilen fertiggenäht, sie mit liebevoller Sorgfalt zusammengefügt.

Appleby knipste das Licht an, denn es war ein düsterer Tag. Auf dem Dachboden fehlte der runde Tisch, aber abgesehen davon war alles noch ziemlich so wie damals, nachdem Soobie hier aufgeräumt hatte. Sogar das alte, weißgestrichene Puppenhaus stand noch in der Ecke. Wimpey hatte Anspruch darauf erhoben, aber Vinetta hatte gesagt, es wäre zu alt und zerbrechlich zum Spielen. Die Kiste voller Kleinkram und die zwei Weidentruhen, mit denen Appleby die Tür verbarrikadiert hatte, standen wieder an ihrem Platz und begrenzten das »bewohnte« Gebiet. Die andere Hälfte des Dachbodens war kahl und staubig.

»Du hattest doch nicht etwa wieder Kontakt mit Tony?« sagte Pilbeam, als Appleby auf ihre erste Frage keine Antwort gab.

»Nichts dergleichen«, sagte Appleby. »Hältst du mich für blöd?«

»Na ja«, sagte Pilbeam, »wenn du mich so fragst ...«

Es war nicht sehr klug, Appleby so etwas zu sagen, aber niemand ist immer und zu allen Zeiten klug. Erstaunlicherweise wurde Appleby jedoch nicht wütend. Sie schnitt nur eine Grimasse und blieb ein paar Sekunden lang still. Jetzt war nicht der Zeitpunkt für einen Streit. Appleby hatte etwas anderes im Sinn.

»Da drüben gibt es noch eine zweite Tür«, fing sie an und nickte zur gegenüberliegenden Wand hinüber.

»Ja«, sagte Pilbeam, »ich weiß. Was ist damit?«

»Hast du dir je Gedanken gemacht, was dahinter sein könnte?« fragte Appleby unschuldig.

»Ich weiß, was dahinter ist«, sagte Pilbeam. »Das liegt doch klar auf der Hand.«

Appleby sah sie erstaunt an.

»Wie meinst du das?« fragte sie.

»Also, ich hab die Tür schon vor ewigen Zeiten gesehen. Sie ist ganz offensichtlich in die Hauswand eingebaut. Wenn sie irgendwo hinführen würde, könnte das nur eine Außentreppe sein.«

»Es gibt aber keine«, sagte Appleby.

»Nein«, sagte Pilbeam, »jetzt gibt es keine mehr. Früher muß es mal eine gegeben haben. Sie wurde entfernt, und die Tür wurde von außen zugemauert. Wenn wir sie jetzt öffnen würden – vorausgesetzt, daß sie überhaupt noch aufgeht – , würden wir vor einer Mauer stehen.«

»Warum hat mir Tante Kate dann verboten, sie zu öffnen?« sagte Appleby, die so verdutzt war, daß sie ihren ursprünglichen Plan vergaß. »Und woher weißt du das alles?«

»Jetzt mach mal halblang, Appleby!« sagte Pilbeam. »Du hast Tante Kate nie gesehen. Wenn du ihr wirklich begegnet wärst, hättest du mir das schon längst erzählt. Das hättest du dir nicht verkneifen können.«

»Ich erzähl dir nicht alles«, sagte Appleby und wurde dabei immer lauter. »Ich erzähle keinem alles. Du hast mir ja auch noch nie von der Tür erzählt. Du bist um nichts besser als ich.«

Pilbeam sah Appleby ruhig an.

»Da gab es nichts zu erzählen, Appleby. Ich habe eine lange Zeit hier auf diesem Dachboden zugebracht, habe mich umgesehen und jede Ecke kennengelernt. Ich habe die Tür von innen gesehen, und Monate später habe ich das Haus von außen gesehen und die Spuren der Feuerleiter, die entfernt worden war, und die nachträglich eingemauerten Ziegelsteine. Das war zwar recht interessant, aber keine brandaktuelle Neuigkeit. Wenn du wirklich Tante Kates Geist gesehen hättest, wäre das natürlich etwas völlig anderes.«

»Also, ich hab sie gesehen«, sagte Appleby genüßlich. »Und ich war ganz wild darauf, dir davon zu erzählen, aber ...«

Appleby schielte vorsichtig zu ihrer älteren Schwester hinüber und wußte nicht so recht, wie sie den Satz beenden sollte.

»Aber was?« fragte Pilbeam, der allmählich der berechtigte Verdacht kam, daß Appleby wieder etwas ausgeheckt hatte. Appleby war lustig. Sie war liebenswert. Sie war verletzlich. Aber sie war absolut nicht vertrauenswürdig. Das gehörte zu den Tatsachen des Lebens, die allen Mennyms bekannt waren.

»Aber was?« fragte Pilbeam noch einmal, diesmal bohrender als zuvor.

Appleby wickelte sich eine Strähne ihrer langen, roten Haare um den rechten Zeigefinger. Aus langer Erfahrung wußte Pilbeam, daß das ein Anzeichen für Ausflüchte war.

»Raus damit, Appleby«, sagte sie. »Du brauchst gar nicht erst zu versuchen, mich einzuwickeln. Ich bin dir immer einen Schritt voraus. Das weißt du genau.«

»Das muß an den Schuhen liegen«, sagte Appleby schroff.

»Also, ich bin nicht hergekommen, um mich blöd anreden zu lassen. Da kann ich ja wieder gehen.«

Pilbeam stand aus dem Schaukelstuhl auf und bedachte ihre Schwester mit einem sehr kühlen Blick.

»Warte«, sagte Appleby und sprang auf die Beine. »Setz dich wieder. Ich erzähl dir alles.«

»Keine Lügen«, sagte Pilbeam energisch, »und keine Unverschämtheiten mehr.«

Sie setzten sich wieder.

»Ich wollte dich dazu überreden, die Tür aufzumachen, ohne dir etwas zu erzählen«, begann Appleby mit ungewohnter Offenheit. »Aber du hast mich völlig überrumpelt, als du über die Tür so gut Bescheid wußtest. Nur in Wirklichkeit weißt du gar nichts.«

»Wie meinst du das?«

»Du kennst nicht die ganze Geschichte dieser Tür. Das war damals, als ich hier raufgerannt bin, nachdem Granny wegen des Briefs so gemein war.«

»Ja, und?« sagte Pilbeam grimmig.

»Ich hatte mich hier eingeschlossen, um alle zu bestrafen, aber mir wurde langweilig. Da hab ich mich umgesehen, wahrscheinlich ganz ähnlich, wie du das getan hast. Ich fand die Tür und wollte sie gerade öffnen, als eine Stimme mich warnte.«

»Eine Stimme?«

»Ja. Und als ich mich umschaute, entdeckte ich Tante Kate. Sie sah genauso aus, wie Albert sie beschrieben hat. Wahrscheinlich bin ich deshalb nicht erschrocken.«

»Und was war dann?«

»Sie sagte, etwas Schreckliches würde geschehen, wenn ich die Tür aufmache. Und dann ging sie wieder.«

»Einfach verschwunden?«

»Das hab ich nicht genau gesehen. Ich hatte einen Moment lang den Kopf abgewandt, und als ich wieder hinsah, war sie fort.«

Pilbeam schaute Appleby prüfend an.

»Was meinst du?« sagte Appleby. »Würdest *du* mal versuchen, die Tür zu öffnen? Nur um festzustellen, ob sie dann kommt und dich davon abhält?«

»Ich will diese Tür nicht öffnen«, sagte Pilbeam. »Es gibt keinen Grund dafür. Und wenn der Geist von Tante Kate es dir wirklich verboten hat, solltest du dich daran halten.«

»Du glaubst mir also nicht«, sagte Appleby verärgert. »Ich sage dir die reine Wahrheit, und du glaubst mir nicht. Das ist ungerecht.«

»Es spielt keine Rolle, was ich glaube«, sagte Pilbeam. »Ich weiß, daß es eine ziemlich heikle Angelegenheit ist, eine Tür aufzumachen, die jahrelang nicht mehr berührt wurde und ganz offensichtlich nicht zum Öffnen gedacht ist. Vielleicht hat

Kate es ja so gemeint. Womöglich stürzt das ganze Haus ein, wenn du die Tür aufmachst.«

»Um so was zu glauben, muß man wirklich ein Vollidiot sein!« sagte Appleby verächtlich.

»Ich wäre ein Vollidiot, wenn ich das glauben würde, was du mir einreden willst.«

»Und zwar?«

»Daß diese Tür von einer übernatürlichen Kraft beherrscht wird.«

»Es könnte aber sein«, beteuerte Appleby. »Fest steht jedenfalls, daß Tante Kate gekommen ist und mir verboten hat, sie zu öffnen. Ich weiß nicht, wie ich dich dazu bringen kann, mir zu glauben. Ich erzähle nicht immer Lügenmärchen. Jetzt zum Beispiel erzähle ich dir keine Lügenmärchen. Warum glaubst du mir also nicht?«

Pilbeam gab sich alle Mühe, freundlich zu sein. Appleby schaute so betrübt drein. Allerdings konnte das auch gespielt sein. Appleby war eine sehr gute Schauspielerin. Pilbeam war sich nicht ganz sicher, was sie denken sollte.

»Vielleicht hast du das geträumt«, sagte sie. »Du warst die halbe Nacht lang wach. Du hattest dich über Granny Tulip geärgert. Dann bist du eingeschlafen und hattest einen Alptraum. Weißt du, Träume können sehr echt wirken.«

»Aber...«, fing Appleby wieder an.

»Belassen wir's dabei«, fiel Pilbeam ihr mit Bestimmtheit ins Wort. »Und ich finde, du solltest dich vom Dachboden fernhalten. Hier geht deine Phantasie mit dir durch.«

Sie stand aus ihrem Schaukelstuhl auf und ging hinaus. Wie üblich folgte Appleby ihr, wenn auch widerstrebend.

# 31
# Die verbotene Tür

Über eine Woche hielt sich Appleby vom Dachboden fern. Sie hörte Platten und las alte Zeitschriften und unterhielt sich mit Pilbeam. Sie blieben, wie es ihnen befohlen war, im Haus. Tulip hatte auf alles ein wachsames Auge. Das Spätsommerwetter draußen war verführerisch schön, aber unerreichbar. Die Hausschlüssel waren in einer Schublade eingeschlossen, und den Schlüssel zu dieser Schublade trug Tulip stets bei sich. Selbst die Telefone blieben niemals unbewacht. Das Telefon in Granpas Zimmer war schon immer unzugänglich gewesen, da der alte Herr niemals das Bett verließ. Um das andere Telefon vor Zugriff zu schützen, ging Tulip jetzt dazu über, die Tür zum Frühstückszimmer abzuschließen, wenn sie sich in einem anderen Teil des Hauses aufhielt. Es gab keine Möglichkeit, die Polizei, die Feuerwehr oder Albert Pond anzurufen. Es ist nicht leicht, Appleby eine Nasenlänge voraus zu sein, dachte ihre Großmutter, aber es ist auch nicht unmöglich.

Vinettas Versuche, Magnus und Tulip zu einer Veränderung ihrer Taktik zu bewegen, waren erfolglos geblieben. Die beiden waren so felsenfest überzeugt, daß ihre Vorstellungen richtig waren, und Vinetta, die ewig Vernünftige, war sich nie so ganz sicher, daß sie falsch waren.

»Wenn wir sehr vorsichtig sind«, sagte sie, »könnte es tatsächlich ungefährlicher sein, auf die Straße hinauszugehen, als immer im Haus zu bleiben. Anthea Fryer wundert sich sonst vielleicht, wo wir alle abgeblieben sind. Vielleicht kommt sie sogar vorbei, um mal nachzusehen.«

»Und wenn sie das tut«, sagte Granpa, »wird sie nichts zu sehen kriegen. Wir werden eben nicht an die Tür gehen, wenn es klingelt. Anthea Fryer hat kein Recht, uns auf die Pelle zu rücken. Niemand hat das Recht dazu.«

Es war daher erforderlich, weiterhin die Straße zu beobachten. Selbst Appleby übernahm ihren Wachdienst am Fenster. Das war eine Zeit des bedrückenden Nichtstuns. Sie spielte mit dem Gedanken, den anderen zu erzählen, daß sich im Garten jemand herumtrieb oder daß hinten an der Hausecke Rauch aufstieg. Aber ihr war bewußt, wie schwach solche So-tun-als-ob-Spiele waren, und sie verwarf die Idee wieder. Das Schlimmste war jedoch die Art, wie Tulip sie ansah. Es war, als hätte sie ihrer Enkeltochter ein Schild mit der Aufschrift *Vorsicht, Explosionsgefahr* um den Hals gehängt.

»Warum schaust du mich so an, Granny?« fragte Appleby, als Tulip, die sie nicht längere Zeit allein lassen wollte, ins Wohnzimmer kam und sich zu ihr setzte. »Ist mir plötzlich ein zweiter Kopf gewachsen?«

»Du weißt genau, warum ich dich ansehe«, sagte Tulip. »Es ist mir ganz egal, wie sehr die anderen alle zu dir halten. Du bist und bleibst eine, der man nicht über den Weg trauen kann. Und ich schau dich an und überleg mir, welche Untat du wohl gerade wieder ausheckst. Ich habe Granpa nichts von dem Brief erzählt. Das würde ihn zu sehr betrüben. Aber glaub nur ja nicht, ich würde das jemals vergessen. Ich vergesse nichts.«

Appleby machte ein durchtriebenes Gesicht und zitierte eine von Granpas Perlen der Weisheit.

»Müßiggang ist aller Laster Anfang«, sagte sie. »Wenn ich etwas anstelle, ist das nur eure Schuld, deine und Granpas. Wenn wir tagein, tagaus im Haus festsitzen, muß das ja zu Problemen führen.«

»Jedenfalls wissen wir, woran wir sind«, sagte Tulip. »Dein Großvater hat den sehr weisen Entschluß gefaßt, daß wir so lange im Haus bleiben, bis ...«

»Wie lange?«

»So lange es eben dauert, bis wir sicher sein können, daß keine Gefahr mehr besteht. Das paßt dir nicht, ich weiß, aber du wirst dich damit abfinden müssen. Und ich werde dich Tag und Nacht im Auge behalten. Du kannst so frech werden, wie du willst, und so aufsässig sein, wie du willst, aber du gehst nicht aus dem Haus. Dafür sorge ich.«

Zuletzt hielt Appleby es nicht mehr länger aus. Eines Abends, kurz nachdem Joshua zur Arbeit gegangen war und die Haustür sich wieder hinter ihm geschlossen hatte, huschte Appleby leise aus dem Wohnzimmer und ging langsam die Treppe hinauf. Sie wußte, daß Pilbeam mit Vinetta in der Küche war. In der Familie ahnte sonst niemand etwas von dem Geheimnis des Dachbodens. Tulips Kanonen zeigten in die falsche Richtung!

Als Appleby an ihrem eigenen Zimmer vorbeikam, dachte sie: Noch hab ich mich nicht entschieden. Vielleicht mache ich die verbotene Tür gar nicht auf. Vielleicht gehe ich nicht mal auf den Dachboden. Und so begab sie sich in Gefahr, nicht mit dem erklärten Ziel, ungehorsam zu sein, sondern indem sie mit diesem Gedanken einfach nur spielte.

Aber sie ging auf den Dachboden. Sie setzte sich in den Schaukelstuhl und sah zu der schattig-dunklen Tür an der gegenüberliegenden Wand hinüber. Was konnte alles passieren? Pilbeam hatte behauptet, das Haus könnte einstürzen. Unwahrscheinlich, dachte Appleby, höchst unwahrscheinlich. Etwas könnte durch die Tür hereinkommen und sie verschlingen. Noch viel unwahrscheinlicher, dachte sie. Vielleicht tauchte Kate wieder auf. Das war möglich – und interessant. Appleby war zu dem Ergebnis gekommen, daß sie vor Tante Kate keine Angst haben mußte. Sie war wirklich ein sehr ungespenstisches Gespenst.

Aber, dachte Appleby, es ist mehr als wahrscheinlich, daß ich nichts als eine Ziegelmauer sehe. Vielleicht hatte sie sich Kate ja *wirklich* nur eingebildet. Als Grundlage hatte sie die Beschreibung von Albert Pond, dazu kam ihr sehnsüchtiger Wunsch, etwas Übernatürliches zu erleben, und außerdem war sie zu diesem Zeitpunkt sehr aufgewühlt gewesen und sehr müde. Alles in allem hatte es ohnehin keinen Zweck, diese Attrappe von einer Tür zu öffnen.

Auf dem Dachboden wurde es dunkler. Aber Appleby blieb noch lange in ihrem Schaukelstuhl sitzen, ohne sich die Mühe zu machen, zum Treppenabsatz zu gehen und das Licht anzuknipsen. Als sie sich schließlich doch dazu aufraffte und sich aus dem Stuhl erhob, regte sich der böse Kobold in ihr, und statt zu der Tür hinter ihr zu gehen, machte sie es wie eine andere Dame, die ebenfalls ihres Gefängnisses überdrüssig geworden war, und ließ alles stehn, »ans Fenster eilig hinzugehn« – in ihrem Fall allerdings an die Tür!*

Nach einem Dutzend schneller Schritte lag ihre Hand auf dem Türknauf. Sie hielt inne und wartete. Aber Kates Stimme drang nicht aus der Düsternis zu ihr. Kate war geschwächt und hatte nicht mehr die Kraft, ihrem geliebten, aber völlig verantwortungslosen Kind zu erscheinen.

Unter Applebys Hand drehte sich der Messingknauf fast wie von selbst. Sie unternahm auch keinen Versuch, die Tür zu öffnen oder zuzuhalten. Sie bewegte sich einfach. Langsam, sehr langsam, und nur ein ganz klein wenig.

Durch den schmalen Spalt drang ein dünner Strahl flüssigen Lichts, ein überirdisches Licht, milchweiß, so süß wie Honig und frisch wie der Frühling. Es nahm einen gefangen und erweckte in jedem den Wunsch, die Tür weit aufzustoßen und einzutreten. In fast jedem. Nicht in Appleby. Plötzlich, zum ersten-

---

* Gemeint ist hier Lady of Shalott aus der gleichnamigen Ballade von Alfred Lord Tennyson (1809–1892). (Anm. d. Ü.)

mal in der ganzen Zeit ihrer Existenz, überkam sie eine Vorstellung von den Folgen ihrer Taten, und Entsetzen packte sie. Verzweifelt stemmte sie sich mit der Schulter gegen die Tür und versuchte sie zu schließen, aber hier war eine Macht am Werk, mit der sie nicht gerechnet hatte. Die Tür *wollte* sich öffnen.

Und je mehr die Tür ihre Kraft gegen Applebys ausspielte, desto mehr des wunderbaren Lichts strömte in den Raum. Es ergoß sich über die kahlen Dielen des Fußbodens, so daß die Holzbretter wie kostbare Diamanten aussahen. Und auch Musik ertönte, wie Wasserglöckchen, die in weiter Ferne klingen. Was es auch sein mochte, es war auf jeden Fall eine andere Welt, und Appleby wußte, daß diese Welt, so wunderschön sie auch war, ihre eigene Welt zerstören konnte.

»Hilf mir, Kate Penshaw«, rief sie, »bitte, hilf mir!«

Die Kraft hinter der Tür wurde stärker.

»Tante Kate«, schrie Appleby. »Bitte, bitte, bitte komm und hilf!«

# 32
# Statuen

Vinetta stand in der Küche, im rechten Arm die große Keramikschüssel, in der linken Hand den langen, hölzernen Kochlöffel. Sie machte einen Kuchen für den Sonntagstee. Der nichtvorhandene Teig würde in die Backform gegossen werden und dann für genau anderthalb Stunden im Ofen bleiben. Danach würde er gestürzt werden und zum Abkühlen auf den Rost mitten auf dem Küchentisch kommen. Morgen würde Vinetta ein Kuchenmodell aus Pappe auf die drehbare Kuchenplatte stellen und sorgfältig mit Zuckerguß überziehen und verzieren. So etwas machte sie nicht jedes Wochenende, aber in letzter Zeit backte sie häufiger. Damit schaffte sie sich einen Ausgleich dafür, daß sie nicht vor die Tür konnte.

Gerade als sie den Teig in die mit echtem Backpapier ausgelegte Backform goß, blieb die Zeit stehen. Vinetta erstarrte auf der Stelle und wurde zur Statue.

Im selben Augenblick erstarrten alle im Haus zu Statuen.

Sir Magnus, der aufrecht im Bett saß und noch einen Bericht über die Schlacht von Edgehill schrieb, wurde mitten im Satz unterbrochen.

*In dieser ersten Schlacht des Bürgerkriegs wurde der Arzt, William Harvey aus Folkstone* ... Der Stift berührte noch das Papier, der alte Herr saß über seine Arbeit gebeugt, war aber völlig unbeweglich. Sein lila Fuß hing leblos herab.

Lady Tulip war im Frühstückszimmer und strickte. Einstechen, umschlagen … aber nicht mehr durchziehen. Die Schlinge blieb auf der Nadel. Nur das Wollknäuel entwickelte ein Eigenleben und rollte in eine Ecke davon.

Im Kinderzimmer war Miss Quigley gerade damit fertig geworden, Googles in ihr Nachthemd zu stecken. Sie schmuste mit ihr, hielt sie hoch in die Luft und sagte: »Wer ist mein liebstes Baby?« Und Googles, das liebste Baby überhaupt, hatte die Händchen ausgestreckt, und während sie vor Vergnügen quietschte, erstarrte alles. Mitten im Kinderzimmer stand das Tableau einer Kinderfrau mit einem Baby, das so starr und steif wie eine Puppe war.

Pilbeam hatte erst wenige Sekunden zuvor die Küche verlassen und stieg die Treppe zu ihrem Zimmer hinauf. Ihr war plötzlich die Frage durch den Kopf geschossen, was Appleby wohl gerade trieb. Nach allem, was sie durchgemacht hatten, war für Pilbeam die Sorge um ihre Schwester genauso selbstverständlich geworden wie für Granny Tulip. Also machte sie sich auf den Weg, um nachzusehen, wo sie steckte. Und dann blieb die Zeit stehen. Pilbeam machte sich keine Sorgen mehr. Sie hörte auf zu denken, sich zu bewegen, sogar zu atmen. Eine Hand lag auf dem Treppengeländer, der eine Fuß berührte die oberste Treppenstufe, der andere Fuß stand eine Stufe tiefer. In dieser Haltung verharrte sie.

Soobie war allein im Wohnzimmer, wo er sich eine Fernsehsendung über Wainwrights Fußmarsch von einer Küste zur anderen angesehen hatte. Das könnte ich auch, dachte er, als der Abspann über den Bildschirm lief. Ich könnte heimlich quer durch England marschieren und brauchte dafür nur einen Regenmantel und ein zweites Paar Turnschuhe. Ich glaube, eines Tages, wenn der Belagerungszustand vorbei ist, mache ich das.

Er ging durchs Zimmer und bückte sich, um den Fernseher auszuschalten. Und in diesem Augenblick hörte das Leben auf.

191

Die blaue Lumpenpuppe war gerade erst dabei, sich wieder aufzurichten, und hatte noch nicht genügend Gleichgewicht, um
zu erstarren, ohne dabei hinzufallen. Sie schwankte, kippte
vornüber und landete schwerfällig auf dem Fußboden vor dem
Kaminfeuer. Ein bißchen zu dicht davor. Die Brennstäbe glüh-
ten. Schon sehr bald würden sie die dunkelblauen Haare der
Puppe versengen.

Poopie war in seinem Zimmer und tat so, als fütterte er
Paddy Black. Er saß auf dem Fußboden vor Paddys Häuschen
und hielt ihm ein Stück grünes Plastik hin, das gute Dienste als
Salatblatt tat. Überall im Zimmer lagen tote und verwundete
Soldaten. Poopie hatte beschlossen, etwas anderes zu spielen,
aber vorher mußte er seine Armee wegräumen. Das war keine
leichte Aufgabe. Indem er das Kaninchen fütterte, konnte er sie
noch ein bißchen vor sich herschieben. Poopie lag auf dem
Bauch, zum Kaninchen hin ausgestreckt, die Beine nach hinten
gespreizt. Zwischen Daumen und Zeigefinger hielt er das Salatblatt, und dort blieb es auch.

Wimpey war schon im Bett und las, in die Kissen gelehnt,
eine Internatsgeschichte, *Die Rivalinnen der Chalet-Schule*.
Genau in dem Moment, als die Zeit stehenblieb, blätterte
Wimpey eine Seite um. ... *Ihre schwarzen Augen waren halb
geöffnet, und ihre Wangen waren flammend rot. Ein rostiges
Knarren* ... Weiter kam Wimpey nicht mehr. Die Seite wurde
nicht umgeblättert. Die Puppe im Bett sah reizend und liebenswert aus, fast wie ein richtiges kleines Mädchen.

Wer als erster über die Schwelle von Brocklehurst Grove
Nummer 5 treten würde, bekäme lauter faszinierende Ta-
bleaus geboten. Wie viele Fragen würden sich da stellen! Was
sind das für Puppen? Wo ist der Besitzer dieses Hauses? Lange
steht es noch nicht leer. Der Strom ist nicht abgestellt. Das Telefon klingelt weiter. Die Gasfeuer wärmen immer noch die
Zimmer. Wo sind die Menschen, die das alles bedienen? Wo
um alles in der Welt können sie sein? Der Neuankömmling

würde glauben, daß er auf eine *Mary Celeste*\* der Vorstadt gestoßen war.

Ach, das war aber noch nicht das Schlimmste. Was war mit Joshua?

Er war in Sydenhams Elektrolager angelangt und hatte sich die Schlüssel von Max aushändigen lassen, dem kurzsichtigen Hilfsarbeiter mit dem schlichten Gemüt. Er war ein tüchtiger Arbeiter und seiner verwitweten Mutter ein guter Sohn, gehörte aber zu denen, die von der Natur dazu bestimmt waren, immer Kinder zu bleiben. Joshua wußte das zu schätzen und fühlte sich bei ihm hinlänglich sicher, um auch mal ein paar Worte mit ihm zu wechseln

»Warm heute, alter Junge«, sagte er, während er Max die Tür aufhielt. »Mehr Juli als September.«

Er schloß die Tür hinter Max und begab sich in die Abgeschiedenheit seines Büros. Dort zog er den Mantel aus, den er immer trug, wenn er zur Arbeit ging, ganz egal, wie warm es auch sein mochte. Er ging zum Garderobenständer, um den Mantel auf seinen Kleiderhaken zu hängen. Als er dazu nach oben griff, blieb die Zeit stehen. Er erstarrte mitten in der Bewegung. Wie sah er aus? Das Bildnis eines Mannes in den besten Jahren, graue Haare, untersetzte Gestalt, bekleidet mit einem blauen Hemd und dunkelblauer Hose. Nur ein Abbild, eine sehr gute Nachbildung. Nichts Echtes.

Am Morgen würde Charlie kommen und die Puppe dort sehen. Charlie kam immer als erster. Er war ein ausgewanderter Cockney, der trotz der vielen Jahre, die er bereits in Nordengland lebte, immer noch London als seine Heimat betrachtete. Was würde er sich denken, wenn er Joshua sah, der nicht Joshua

---

\* Ein amerikanisches Segelschiff, das von New York nach Genua fuhr, dort aber nie ankam. Am 5. Dezember 1872 wurde es im Nordatlantik geborgen, in tadellosem Zustand, aber völlig verlassen. Die Boote fehlten, das Schicksal der Mannschaft blieb ungeklärt. Die *Mary Celeste* gilt als eins der ungelösten Rätsel des Meeres. (Anm. d. Ü.)

war? Was, um Himmels willen, würde er nur *denken*? Und was würde mit der Puppe geschehen? Würde sie schließlich auf dem Müll landen? Würde der eine oder andere Mitarbeiter sie behalten wollen? Vielleicht holte man sogar die Presse oder die Polizei. Und bestimmt würde man jemanden zum Brocklehurst Grove schicken, um sich nach dem Nachtwächter zu erkundigen...

Aus dem Wohnzimmer kam schon ein leichter Brandgeruch. Was für ein Unglück wäre es doch, wenn Soobie in Flammen aufginge und das Feuer sich ausbreitete, bis das ganze Haus in Flammen stand!

Auf dem Dachboden verlieh das geheimnisvolle Licht, das in den Raum drang, den Dielenbrettern einen pulsierenden Glanz. Der Kampf mit der Tür war nahezu vorbei. Appleby war am Ende. Ihr Versuch, den Schaden, den sie angerichtet hatte, wiedergutzumachen, war gescheitert.

Ach, Kate Penshaw, Kate Penshaw, du solltest dein Haus doch in Ordnung halten! So kannst du deine Angelegenheiten auf Erden nicht hinterlassen. Das ist ein grauenhaftes Durcheinander.

# 33
# Kampf auf Leben und Tod

Die Keramikschüssel fiel krachend zu Boden und zerschellte in tausend Stücke. Mit der ganzen Kraft, die ihr noch geblieben war, fuhr Kates Geist in Vinetta, und mit der Macht des Instinkts wußte sie, was zu tun war. Vinetta stürzte aus der Küche, lief die Treppe hinauf und rief: »Ich komme, Appleby. Ich komme, mein Liebes. Halt aus. Halt durch.«

Sie schob sich an der Puppe auf der Treppe vorbei, der regungslosen Pilbeam. Sie stürmte in den zweiten Stock und dann weiter die Treppe zum Dachboden hinauf. Ihre Schritte hallten durch das stille Haus. Als sie zur Dachbodentür hereintrat, wußte sie instinktiv, daß sie den Blick von dem glühenden Licht abwenden und ihre Kraft mit der ihrer Tochter vereinen mußte.

Es war ein harter Kampf, selbst mit der Energie, die Kates Geist beisteuerte. Die Tür wehrte sich. Sie hatte schon fast gesiegt. So leicht würde sie nicht nachgeben. Der Kampf wurde immer heftiger. Auf der einen Seite war die unerschütterliche Liebe, die Vinetta ihrer Familie entgegenbrachte, eine leidenschaftliche Liebe, die alles überdauern würde. Auf der anderen Seite kämpften die Mächte der Zerstörung.

Die Tür drückte so heftig, daß sie sich bog. Das Licht wurde grell und wild. Es hatte aufgehört, das Paradies zu verheißen, und drohte statt dessen mit dem Höllenfeuer. Vinetta stemmte sich dagegen, preßte die Schulter gegen die Öffnung. Mit der linken Hand hielt sie sich am Türrahmen fest, der rechte Fuß war wie ein Keil vor die Tür gestellt. Der Spalt schloß sich ...

zwei Zentimeter, ging dann wieder auf ... zwei Zentimeter. Der Kampf wurde zu einem verzweifelten Ringen.

Appleby, die sich etwas erholt hatte und neue Kraft aus der Gegenwart ihrer Mutter schöpfte, stand neben ihr und unternahm erneut eine gewaltige Kraftanstrengung. Die Hände oberhalb von Vinettas Kopf flach gegen die Tür gestemmt, drückte sie wieder, fester und immer fester. Beide Puppen waren wild entschlossen, den Sieg davonzutragen. Aber es war, als stemmte sich auf der anderen Seite ein von böser Energie erfüllter Riese gegen sie. Der Boden unter ihren Füßen knarrte und ächzte.

Draußen in der schwärzer werdenden Dunkelheit zogen Gewitterwolken über dem Grove auf. Die Elemente stürzten herbei, um sich am Kampf zu beteiligen, ungestüme, lautstarke Elemente, die wie eine zornige Menschenmenge brüllten. Blitze erhellten die Statue von Matthew James Brocklehurst, und der Donner dröhnte wie berstende Granaten um ihn herum. Das Haus erbebte, und in den Dachbodenfenstern klirrten die Scheiben.

Die Macht hinter der Tür wurde immer stärker. Trotz der Hilfe, die sie von Kates Geist erhielten, spürten die beiden Lumpenpuppen, wie ihre Kräfte sie verließen.

»Drück weiter, Appleby. Fester, fester«, rief Vinetta. In all dem Lärm war ihre Stimme kaum zu hören. »Wenn wir verlieren, müssen wir alle sterben.« Sie sprach aus tiefer Überzeugung, obwohl sie selbst nicht so ganz fassen konnte, was sie da sagte.

Wieder zuckte ein Blitz über den Himmel. Seine bläuliche Helligkeit mischte sich mit dem gespenstischen Licht auf dem Dachboden. Donner dröhnte, daß die Dachbalken von dem Knall in Schwingung gerieten.

Dann trat plötzlich Stille ein. Das Gewitter ließ für einen Moment nach, und es war, als schöpften die Kämpfenden Atem. In diesem Augenblick rief Vinetta mit einer Stimme, die nicht die ihre war: »Erlöse uns von dem Bösen. Gib uns die

Kraft, dem Verderben zu widerstehen. Verzeih mir. Bitte, verzeih mir. So etwas wird nie, niemals mehr vorkommen.«

Die Stille, die auf dieses Stoßgebet folgte, war genauso ohrenbetäubend, wie der Donner es gewesen war. Dann, mit einem langen, traurigen Seufzer, gab die gebogene Tür nach. Der Knauf drehte sich, und man konnte das Schloß einschnappen hören. Jetzt war da wieder eine Tür, eine ganz normale Tür. Sie war geschlossen, und auf dem Dachboden herrschte tiefe Finsternis. Erschöpft und verängstigt sanken Mutter und Tochter zu Boden. Sie hatten keinerlei Kraftreserven mehr.

Sie saßen da wie zwei schiffbrüchige Seeleute, die an einem unbekannten Ufer angespült worden waren. Sie schliefen. Und für eine der beiden war es der Todesschlaf.

Das Gewitter verzog sich mit einem Regenguß, der die Luft frisch und sauber hinterließ. In dem Augenblick, in dem die Schlacht zu Ende war, konnte Kates Geist den Dachboden wieder verlassen, und auf diese Weise kehrte das Leben in die übrigen Mennyms zurück.

Im großen Schlafzimmer an der Vorderseite des Hauses schrieb Granpa Mennym weiter: ... *mit der Verantwortung für die beiden jungen Prinzen betraut.* Er wußte nicht, daß in der letzten halben Stunde sein Leben ausgesetzt hatte, ein Zustand, in dem er ohne die Kraft der Liebe vielleicht für immer geblieben wäre.

Tulip schaute auf die Uhr und war sich vage bewußt, daß es später war, als sie gedacht hatte, eine halbe Stunde später. Das war verwunderlich. Normalerweise nickte sie nicht ein. Daß sie es doch getan hatte, fand sie ärgerlich. Sie sah auf ihr Strickzeug herab, das sie immer noch fest und sicher in den Händen hielt. Die Schlinge rutschte von der Nadel, und die Masche war fertig. Tulip stand auf, um das Wollknäuel zu holen, das über den Fußboden davongerollt war, und dabei hatte sie das unbehagliche Gefühl, daß irgend etwas nicht ganz in Ordnung war.

Im Wohnzimmer stellte Soobie verwundert fest, daß er sehr unbequem auf dem Teppich vor dem Kamin lag. Ein Brandgeruch lag in der Luft, und mit einem Schrei sprang er auf und begann wie wild auf seinen Hinterkopf einzuschlagen, von dem Rauch aufstieg. Zu seinem Entsetzen sah er unter seiner Hand Funken davonfliegen.

»Hilfe!« schrie er. »Helft mir doch!«

Pilbeam auf der Treppe hörte seinen Ruf, erwachte schlagartig zum Leben und rannte ins Wohnzimmer hinunter.

Sie sah vom Kopf ihres Bruders schwarzen Rauch aufsteigen. Soobie würde jeden Moment in Flammen aufgehen. Pilbeam schnappte sich eine Decke, die über der Rückenlehne des Sofas hing, warf sie Soobie über den Kopf und hielt sie fest. Die Hitze drang durch die Decke zu ihren eigenen Händen durch, aber sie ließ nicht los. Je länger die Funken keinen Sauerstoff mehr bekommen, dachte sie besorgt, desto schneller werden sie verlöschen. Soobie verstand und griff ebenfalls hoch, um mitzuhelfen. Nach einigen Minuten legte Pilbeam langsam und behutsam Soobies Hinterkopf frei. Die Funken waren fort. Der Rauch legte sich.

»Es hört gerade auf zu schwelen«, sagte Pilbeam und konzentrierte sich jetzt auf den Schaden am Hinterkopf ihres Bruders.

Soobie hatte Angst. Das war alles so schrecklich neu und unbekannt.

Pilbeam, die genau wußte, wie ihm zumute war, sagte: »Es ist alles gut. Im Grunde ist nicht viel passiert. Oben am Kopf sehen deine Haare jetzt eher rotblond aus anstatt blau, und du hast eine kahle Stelle von der Größe einer Briefmarke, aber das bekommt Mutter schon wieder hin. Du hast großes Glück gehabt, daß sie nicht in Flammen aufgegangen sind. Es hätte viel schlimmer kommen können. Wie um alles in der Welt ist das denn passiert?«

»Ich weiß nicht«, sagte Soobie. Jetzt, wo Pilbeam alles unter Kontrolle hatte, ließ sein Schrecken nach, und er begann, sich über sich selbst zu ärgern. »Ich hab keinen blassen Schimmer. Eben noch stelle ich den Fernseher ab, und im nächsten Augenblick liege ich vor dem Feuer auf dem Boden und schwele vor mich hin.«

»Vielleicht bist du ja ohnmächtig geworden«, sagte Pilbeam. »So was kommt vor.«

Soobie fiel ein, daß Miss Quigley einmal in Ohnmacht gefallen war.

»Ich glaube nicht, daß ich der Typ zum Ohnmächtigwerden bin«, sagte er. »Und ich hatte überhaupt keinen Grund dazu.«

Er ließ sich aufs Sofa fallen.

»Ich kann mir nicht vorstellen, *wie* das passiert sein kann«, sagte er. Dann schaute er auf die Uhr auf dem Kaminsims und wunderte sich noch mehr. Die Sendung war zu Ende gewesen, und er hatte den Fernseher ausgestellt. Diese Handlung, die nur ein paar Sekunden in Anspruch nahm, hatte offenbar über eine halbe Stunde gedauert.

»Ich muß wohl wirklich ohnmächtig geworden sein«, sagte er. »Es gibt keine andere Erklärung.«

Für Poopie und Wimpey verlief der Wechsel vom leblosen Zustand zurück zum lebendigen weniger dramatisch. Poopie fütterte sein Kaninchen, und Wimpey las die herzzerreißende Geschichte, wie Joey Bettany fast den Tod gefunden hätte. Und beide merkten nicht, daß sie unterbrochen worden waren.

Miss Quigley drückte Googles ein letztes Mal an sich und trug sie dann ins Kinderschlafzimmer hinauf. Bei einem Blick auf die Uhr stellte sie fest, daß es schon eine halbe Stunde über die gewohnte Schlafenszeit des Babys war. Dreißig Minuten sind für normale Leute – Lumpenpuppen mit eingeschlossen – eine kurze Zeitspanne, aber für eine gestrenge Kinderfrau sind dreißig Minuten dreißig Minuten. Die Feststellung, daß sie nicht genau im Zeitplan war, stellte Miss Quigley vor ein Rätsel.

Mühsam schüttelte Vinetta den Schlaf ab und sagte zu Appleby: »Gehen wir nach unten.« Sie stand auf und hielt ihrer Tochter die Hand hin, um ihr aufzuhelfen. »Wir müssen nachsehen, wie es steht.«

Ihre Stimme war sanft und müde. Sie wußte noch nicht mal so recht, was ihre Worte zu bedeuten hatten. Wie sollte es denn auch stehen?

Appleby gab keine Antwort.

»Appleby«, sagte Vinetta scharf. Es erschreckte sie, daß ihre Tochter nicht antwortete und nicht einmal den Versuch unternahm, vom Boden aufzustehen. Aber die Puppe, die Appleby war, lehnte vornübergesunken an der Tür, schlaff und reglos. Als Vinetta sich hinunterbeugte, kippte Applebys ganzer Körper zur Seite.

»Appleby«, rief Vinetta, und vor lauter Entsetzen wurde ihre Stimmlage um mehrere Oktaven höher. »Laß diese Albernheiten. Steh jetzt auf und komm mit nach unten.«

Die Puppe auf dem Boden rührte sich nicht.

Vinetta kniete sich neben sie und spürte, daß Wärme fehlte und die Festigkeit des Stoffs, dem der Atem jetzt keine Straffheit mehr verlieh.

Kann das der Tod ein? Kann *das* der Tod sein?

Vinetta packte Appleby an den Schultern und schüttelte sie. Sie erschrak, als sie Staub in dem Stoff spürte, den sie in Händen hielt, Staub und eine unnatürliche Härte.

»Appleby, Appleby, wach auf, um Gottes willen, wach auf«, rief sie. »Die Tür ist geschlossen. Sie kann für immer und ewig geschlossen bleiben. Es gibt keinen Grund zum Sterben. Zum *Sterben*?«

Vinetta ließ los und setzte sich neben ihrer Tochter auf den Boden. Sie, die so oft das Beste aus einer schlimmen Situation gemacht hatte, gab sich jetzt geschlagen. Aber jedes Gefühl hat seine Grenzen, sogar die Verzweiflung. Vinetta wußte nicht, wie lange sie dort saß, aber plötzlich wurde ihr schwindlig, und sie hatte das Gefühl, aus der Wirklichkeit losgelöst zu sein. Sie stand auf, ging zur Dachbodentür, der richtigen Dachbodentür, und knipste das Licht an. Dann kehrte sie zu ihrer Tochter zurück und schleifte sie quer durch den Raum zum Schaukelstuhl. Mit einiger Kraftanstrengung gelang es ihr, das leblose Bündel in den Stuhl zu wuchten.

»Es wird alles wieder gut«, sagte sie. »Es wird alles wieder gut. Lumpenpuppen sterben nicht. Keiner von uns ist jemals gestorben. Pilbeam hat auch einmal hier im Stuhl gesessen, so wie du jetzt. Hab keine Angst, Liebes. Es wird alles wieder gut. Du wirst schon sehen.«

Aber die grünen Glasaugen waren völlig leer. Der ausgestopfte Kopf hing schief zur Seite, so als wäre die Puppe schlecht gearbeitet. Pilbeams Augen hatten gelebt, auch als ihr Kopf noch, in Seidenpapier gewickelt, in der Truhe lag. Pilbeams Arme waren elastisch gewesen, ihr Rumpf straff. Sie hatte sich in einem Stadium des Vor-Lebens befunden. Appleby war im Stadium des Nach-Lebens, für immer und ewig tot. Dieser Tatsache konnte sich Vinetta nicht stellen, das brachte sie nicht über sich. Und deshalb tat sie so, als ob ihr Kind nur schliefe. Sie küßte die leblose Wange.

»Ich muß nach den anderen sehen«, sagte sie. »Wir haben uns in großer Gefahr befunden, Appleby. Aber wir kommen durch. Kate wird sich um uns kümmern. Nur Geduld.«

Vinetta verließ den Dachboden und machte die Tür leise hinter sich zu. Sie ging die Treppe hinunter, wobei sie sich fest auf das Geländer stützte. Der Schock, den sie erlitten hatte, war so groß, daß sie ihn irgendwie unterdrücken mußte, um ihn bewältigen zu können. So tun als ob. So tun als ob. So tun als ob. So tun als ob. Wenn die Wirklichkeit so schmerzlich ist, daß sie sich nicht länger ertragen läßt, dann schließe sie aus. Mach dir etwas vor. **Tu so als ob.**

# 34
# So-tun-als-ob
# vor der Familie

Vinetta schaute kurz bei Sir Magnus herein, als sie an seiner Tür vorbeikam.

»Ja?« sagte Magnus und sah von seinem Manuskript auf.

»Nichts«, sagte Vinetta. »Ich wollte nur wissen, ob mit dir alles in Ordnung ist.«

»Natürlich ist alles in Ordnung«, sagte der alte Herr. »Was erwartest du denn? Daß mit mir alles in Unordnung ist?«

Vinetta war erleichtert, als sie den gereizten Klang seiner Stimme hörte. Sie hatte geglaubt, daß alle im Haus das Gewitter draußen und den Tumult auf dem Dachboden mitbekommen hätten. Wenn Sir Magnus keine Ahnung davon hatte, war es bei den anderen vielleicht auch so. Vielleicht blieb ihr noch genügend Zeit, um alles wieder in Ordnung zu bringen, ohne daß jemand davon erfuhr.

Er weiß nicht, daß überhaupt etwas passiert ist, dachte sie, und eine Art von Wahnsinn breitete sich in ihrem Gehirn aus. Vielleicht weiß es ja keiner.

Es war gut möglich, daß Vinetta als einzige Bescheid wußte. Der Geist von Kate, der in sie gefahren war, hatte sie die Statuen im ganzen Haus wahrnehmen lassen. Wie in einer Vision hatte sie auch gesehen, wie Joshua an seinem Arbeitsplatz erstarrte, während er im Begriff war, seinen Mantel aufzuhängen. Sie als einzige wußte, was alles geschehen war, bis hin zu dem Zeitpunkt, als der Kampf zu Ende ging. Und dieses Wissen würde sie nur mit Joshua teilen und mit sonst niemand.

Alle im Haus wurden kurz begutachtet und überprüft. Wie sie gehofft hatte, waren sie in völliger Unkenntnis dessen, was vorgefallen war.

Als sie jedoch ins Wohnzimmer kam und erfuhr, wie knapp Soobie noch mal davongekommen war, erschrak sie so, daß sie fast zusammengebrochen wäre. Nur mit Mühe gelang es ihr, an dem So-tun-als-ob festzuhalten. Sie schaltete alle Gedanken an den Kampf aus und konzentrierte ihre ganze Aufmerksamkeit auf Soobie, machte ein großes Theater um ihn und bestand darauf, seine versengte Kopfhaut sofort zu reparieren. Die Beschäftigung half. Schon nach kurzer Zeit waren Soobies Haare fast wie neu. Die blaue Wolle aus Vinettas Arbeitskorb war etwas dunkler als Soobies eigene Haare. Das lag vermutlich daran, daß sie jahrelang im Korb gelegen hatte und deshalb nicht so ausgeblichen war.

»Das gleicht sich schon bald an«, sagte seine Mutter. »In ein paar Wochen merkst du keinen Unterschied mehr.«

»Ich versteh immer noch nicht, wie das passieren konnte«, sagte Soobie.

Vinetta sagte nichts, machte aber ein gequältes Gesicht.

Pilbeam sah sie mißtrauisch an. Der Gesichtsausdruck ihrer Mutter war irgendwie unnatürlich. Sie schien über den Ablauf der Ereignisse etwas zu wissen, was den anderen verborgen war.

»Wo ist Appleby?« fragte Pilbeam, die plötzlich erraten hatte, daß ihre Schwester der Grund für das geheimnisvolle Gehabe ihrer Mutter sein könnte. »Ich wollte gerade nach ihr schauen, als ich Soobie rufen hörte.«

»Appleby hat sich schon zurückgezogen«, sagte ihre Mutter schnell und nervös. »Und zwar, weil sie früh ins Bett will. Weißt du, sie ist schrecklich müde. Ich soll dir ausrichten, daß du sie nicht stören sollst. Sie will schlafen.«

»Ich schau nur einen Augenblick bei ihr rein, um gute Nacht zu sagen«, sagte Pilbeam. Sie war jetzt hochgradig mißtrauisch, hatte aber keine Ahnung, was passiert sein konnte.

»Nein!« sagte Vinetta scharf. »Tu das nicht! Ich hab dir doch gesagt, sie darf nicht gestört werden. Wie würdest du es finden, wenn du todmüde wärst und jemand würde dich wecken, nur um dir gute Nacht zu sagen? Ich verbiete es dir.«

Pilbeam legte ihrer Mutter den Arm um die Schultern.

»Irgendwas ist doch los«, sagte sie. »Was ist es?«

Vinetta antwortete so übellaunig, wie es sonst nur Appleby zuwege brachte.

»Nichts ist los«, schrie sie. »Laß sie einfach nur in Ruhe. Sie hat Probleme. Wir alle haben Probleme. Und der Ärger mit dir ist, daß du dich nicht um deine eigenen Angelegenheiten kümmern kannst.«

Pilbeam war völlig verblüfft. So weit ihre Erinnerung aus lebenden und nichtlebenden Zeiten reichte, hatte sie ihre Mutter noch nie so reden gehört. Die Anspannung des Eingesperrtseins machte sich offenbar bei allen bemerkbar, sogar bei Vinetta, die von ihrer Tochter immer als Rückgrat der Familie betrachtet worden war.

»Ich glaube«, sagte Pilbeam sanft, »wir sollten besser alle früh zu Bett gehen.«

Sie nickte Soobie warnend zu, küßte ihre Mutter auf die Wange und ging in ihr Zimmer.

»*Mir* würdest du es doch sagen, wenn Appleby wieder davongelaufen ist?« fragte Soobie, als er mit seiner Mutter allein war. »Das ist es doch nicht, oder?«

»Nein«, sagte Vinetta müde. »Ich glaube, Pilbeam hat recht. Wir müssen uns alle mal gründlich ausschlafen. Morgen früh sieht alles wieder ganz anders aus. Du solltest jetzt auch schlafen gehen.«

Als sie endlich allein war, kehrte Vinetta in die Küche zurück. Obwohl es schon spät war, fegte sie erst noch die Scherben der Keramikschüssel auf. Den anderen durften keine Hinweise auf die merkwürdigen Vorfälle gegeben werden. Die Schüssel war schon sehr alt, aber Vinetta wußte, daß sie auf dem Markt eine ganz ähnliche kaufen konnte. Bei Keramikschüsseln hatte sich die Mode seit über hundert Jahren nicht geändert!

Morgen würde Appleby vom Dachboden herunterkommen, und alles wäre wieder so, als ob nichts geschehen wäre. Das ist absolut möglich, sagte sich Vinetta, während sie die Scherben in den Mülleimer warf. Absolut möglich. Appleby war immer schon erstaunlich überlebensfähig gewesen. Daran konnte sie sich klammern.

Als alle Arbeiten erledigt waren, nahmen Vinettas Sorgen eher noch zu anstatt ab. Ihren Glauben an Applebys Überleben hatte sie sich eingeredet, und er reichte nicht sehr tief, aber das war nicht ihr einziger Kummer. Sie wußte, daß sie alle nur knapp entronnen waren. Und es gab ein Familienmitglied, das sie noch nicht hatte überprüfen können. Sie verfügte jetzt nicht mehr über Kates Wissen. Eine Stunde lang war Kate Vinetta gewesen und Vinetta Kate. Nur auf diese Weise konnte für den großen Kampf genügend Kraft gesammelt werden. Diese Einheit war beendet, als die Dachbodentür sich wieder schloß. Jetzt war Vinetta einfach nur Vinetta, ausgelaugt und halb wahnsinnig vor Sorge und Kummer. Sie wußte nicht, ob Joshua überlebt hatte. Soobie wäre fast umgekommen. Wer konnte wissen, ob Joshua in Sicherheit war?

# 35
# So-tun-als-ob vor Joshua

In Sydenhams Lagerhalle hängte Joshua seinen Mantel auf den Kleiderhaken. Er fühlte sich so steif, als hätte er zu lange gestanden. Etwas ungelenk ging er zu seinem Stuhl am Schreibtisch, setzte sich, holte seine Pfeife hervor und tat so, als zündete er sie an. Dann lehnte er sich zurück, mit dem Pfeifenkopf in der einen und seinem Port-Vale-Becher in der anderen Hand. Ich glaube, ich mache bald mal einen Rundgang, sagte er sich, ich brauche etwas Bewegung.

Als er am nächsten Morgen nach Hause kam, stand Vinetta an der Tür und wartete schon auf ihn. Sie hatte die ganze Nacht in der Küche gesessen und an einem neuen So-tun-als-ob gebastelt, einem neuen, komplizierten So-tun-als-ob, mit dem sie einer nie dagewesenen Situation begegnen konnte.

»Ich hab mich doch nicht verspätet, oder?« sagte Joshua und dachte flüchtig an das einzige Mal, als er später gekommen war, damals, als die Ratte ihm das Bein angenagt hatte.

»Nein«, sagte Vinetta, aber sie fiel ihm um den Hals, was ihn völlig verblüffte, denn er war ein zurückhaltender Mann, der ganz und gar nicht zu großen Gesten neigte. Er lächelte auf sie herab und legte ihr die Hand auf die Schulter...

»Du bist mir schon eine, Vinny«, sagte er. »Ich war doch schließlich keinen ganzen Monat weg.«

»Ich habe dir Eier und Speck zum Frühstück gemacht«, sagte

Vinetta. »Ich dachte, du hättest zur Abwechslung vielleicht mal Lust auf ein warmes Frühstück.«

»Ich *wußte* doch, daß ich Speck rieche«, sagte er und stieg damit gleich in ihr So-tun-als-ob ein. Er ging in die Abstellkammer und hängte seinen Mantel auf, dann setzte er sich an den Küchentisch, bearbeitete den leeren Teller mit Messer und Gabel und kaute die So-tun-als-ob-Mahlzeit mit sichtlichem Genuß.

Vinetta setzte sich und sah ihm eine Weile zu.

Dann sagte sie: »Ich muß dir etwas sagen, Josh.«

Joshua, der diesen Gesichtsausdruck seiner Frau kannte, zuckte zusammen und fragte sich, was jetzt wohl kommen würde. Sie erzählte ihm immer alles, aber oft wäre er lieber im dunklen geblieben. Er rückte mit dem Stuhl ein Stück vom Tisch weg und machte sich zum Zuhören bereit.

Während sich die Geschichte von der Dachbodentür vor ihm entfaltete, wurde ihm zunehmend bewußt, daß ein falscher Ton mitschwang. Vinettas Stimme klang nicht normal. Er hörte die Anspannung darin, das Bemühen, allzuviel zu erzählen und gleichzeitig doch etwas ganz Wesentliches zu verbergen – es war, als wollte sie in einem Haufen aus stacheligem Heu eine spitze Nadel verstecken.

Er unterbrach ihren weitschweifigen Bericht. »Und wo ist Appleby jetzt?« fragte er.

Vinetta hörte auf zu reden. Sie saß einfach nur am Tisch und starrte ihn an.

»Appleby«, wiederholt Joshua. »Wo ist sie jetzt? Es ist euch mit vereinten Kräften gelungen, die Tür zu schließen. Dann ist Appleby offenbar in eine Art Trance verfallen. Und wo ist sie jetzt?«

Vinetta schüttelte den Kopf.

»Sie muß noch auf dem Dachboden sein«, sagte sie. »Bis jetzt ist sie noch nicht heruntergekommen. Wenn wir sie einfach dort oben lassen, wird sie schon irgendwann runterkommen. So ist sie eben. Das weißt du ja selbst.«

Joshua stand vom Tisch auf.

»Ich finde, wir sollten lieber zu ihr gehen und nach ihr schauen, wir alle beide.«

»Können wir nicht noch ein Weilchen warten? Du weißt doch, wie sie ist. Sie wird böse werden, Josh. Wenn sie soweit ist, kommt sie herunter. Das weiß ich genau.«

Joshua sagte nichts mehr, doch er nahm Vinetta am Arm und führte sie aus der Küche.

Appleby war in dem Schaukelstuhl, in den ihre Mutter sie gesetzt hatte, aber sie war zur Seite gekippt, so schlaff wie eine Marionette, deren Schnüre gerissen sind. Ihre grünen Glasaugen waren ohne Glanz. Von ihren Lippen hing ein roter Faden lose herab. Ihr linker Arm lag verdreht in ihrem Schoß, so daß der Stoff, mit dem er überzogen war, lauter Knitterfalten hatte.

Joshua hob den Arm hoch und ließ ihn fallen. Er rückte Appleby im Stuhl zurecht und sah sie ganz genau an. Vinetta stand voller Angst neben ihm.

»Sie ist tot, Vinny«, sagte Joshua und legte seiner Frau den Arm um die Schultern. »Das hast du gewußt, nicht wahr?«

»Sie ist nicht tot, Josh. Das kann nicht sein. Lumpenpuppen sterben nicht.«

»Sie lebt nicht mehr.«

»Im Augenblick. Nur vorübergehend«, sagte Vinetta. »Sie wird wieder zum Leben erwachen. Auch Pilbeam ist zum Leben erwacht.«

»Das war etwas anderes. Pilbeam hatte noch nicht gelebt.«

»Appleby war auch früher schon mal so, weißt du nicht mehr? Nachdem wir sie gebadet hatten, war sie fast leblos und mußte monatelang im Schrank bleiben, um wieder trocken zu werden.«

Joshua sah die Puppe im Schaukelstuhl noch einmal an und blickte Vinetta dann geradewegs ins Gesicht. Seine rautenför-

migen Bernsteinaugen waren voll liebevoller Anteilnahme. Er
faßte nach ihrer Hand.

»Sie *ist* tot«, sagte er mit leiser, sanfter Stimme. »Aus welchem Grund auch immer – der Geist hat sie verlassen. Sie wird
nie mehr lebendig werden.«

»Nein!« schrie Vinetta und riß sich von ihm los. »Nein! So
was kannst du nicht sagen. Das lasse ich nicht zu.«

»Still«, sagte Joshua. »Die anderen sollen nichts hören. Das
muß seine Ordnung und seine Richtigkeit haben.«

Er bückte sich, hob Appleby mit beiden Armen hoch und
trug sie wie ein Baby.

»Mach die Dachbodentür weit auf«, sagte er, »und geh voraus.«

Vinetta gehorchte stumm.

Joshua trug Appleby die Dachbodentreppe hinunter und
durch den Flur in ihr Zimmer. Er legte sie aufs Bett und setzte
sich in den Sessel an ihrem Bett. Vinetta stellte sich neben ihn.
Mit einemmal schlug Joshua die Hände vors Gesicht, und sein
ganzer Körper bebte von innerem Schluchzen. Vinetta sah ihn
an und wußte nicht, was sie tun sollte.

Die Tür ging auf. Pilbeam wollte hereinkommen, aber als sie
ihre Eltern sah, hielt sie inne. Vinetta warf ihr einen Blick zu
und schickte sie mit einer Handbewegung weg. Als die Tür wieder ins Schloß gefallen war, setzte sich Vinetta ans Fußende des
Betts. Eine volle Stunde verstrich, in der weder Vinetta noch
Joshua sich regten.

Dann hob Joshua den Kopf und sagte: »Lassen wir sie jetzt
allein. Wir können nichts für sie tun.« Er breitete die Decken
über Applebys Körper.

»Ich will sie nicht verlassen, Joshua. Ich will sie nie verlassen«, sagte Vinetta mit einer seltsam störrischen Stimme.
»Wenn sie tot ist, wirklich tot, dann glaube ich nicht, daß ich
noch weiterleben kann.«

»Das mußt du aber«, sagte Joshua. »Du hast noch andere

Kinder, lebendige Kinder, die dich brauchen. Appleby braucht dich nicht mehr.«

Vinetta warf Joshua einen haßerfüllten Blick zu.

»Wie kannst du ihren Tod so hinnehmen? Es ist schon schlimm genug, daß du überhaupt einen solchen Gedanken in deinen Kopf läßt. Sie *kann* leben. Sie *wird* leben. Da kannst du sagen, was du willst. Ich bleibe bei ihr, bis sie wieder zum Leben erwacht.«

»Das kannst du nicht machen, Vinetta. Ich sage dir, das geht nicht. Du hast deine Pflichten der übrigen Familie gegenüber.«

Vinetta war so unglücklich, daß sie nach einer Möglichkeit suchte, sich am Schicksal zu rächen.

»Also gut«, fauchte sie. »Ich werde kommen und mich um alle kümmern. Das ist ja, nach deinen Worten, offenbar meine Bestimmung. Aber ich kann ebenfalls sterben.«

Joshua schaute sie erschrocken an.

»Nein«, sagte Vinetta bitter. »Ich habe nicht vor, etwas Dramatisches zu tun. Ich werde nicht auf die Straße hinauslaufen und aller Welt kundtun, was ich bin. Es gibt verschiedene Arten des Sterbens. Ich kann dieses Leben weiterführen, während ich innerlich sterbe. Ich werde jede Arbeit tun, die nötig ist, aber ich werde tot sein. Wenn Appleby tot ist, bin ich es auch. Von mir wird nur noch eine leere Hülle übrig sein.«

Joshua wußte, daß jetzt nicht der geeignete Zeitpunkt für eine Auseinandersetzung war, aber irgend etwas mußte er sagen. Trostworte wären nutzlos. Er wagte es noch nicht einmal, ihre Hand zu halten.

»Im Augenblick zumindest«, sagte er mit fester Stimme, »mußt du so tun, als würdest du leben, selbst wenn es das schwerste So-tun-als-ob deines Lebens ist. Du wirst dein Bestes tun müssen, um den Kummer der anderen zu lindern. Auch sie hatten Appleby lieb. Sie werden darauf angewiesen sein, daß du praktisch und vernünftig bist. Und ich bin es auch.«

Joshua legte Vinetta den Arm um die Schultern, führte sie

aus Applebys Zimmer heraus und machte die Tür hinter ihnen zu. Vinetta sagte nichts, leistete aber auch keinen Widerstand. Sie ließ sich die Treppe hinunter in ihr eigenes Zimmer führen.

»Leg dich hin«, sagte Joshua, »und denk darüber nach. Ich gehe jetzt zu den anderen. Ich werde Hortensia bitten, nach dir zu sehen.«

# 36
# Die Konfrontation

Joshua bat Hortensia, zu ihrer Freundin zu gehen. Danach lief er eilig ins Frühstückszimmer hinunter und erzählte seiner Mutter, was geschehen war. Oder jedenfalls so viel, wie sie wissen mußte. Die Tür im Dachboden war gefährlich, und ihre Enkeltochter Appleby war tot. Gemeinsam gingen sie in Applebys Zimmer. Im Tod war Tulip ihr herzlicher zugetan, als sie es im Leben jemals gewesen war. Traurig, aber wahr.

»Miss Quigley ist bei Vinetta«, sagte Joshua. »Du mußt es den Kindern sagen. Erzähl ihnen so wenig wie möglich und mach es ihnen so leicht, wie du nur kannst.«

»Was ist mit deinem Vater?« fragte Tulip. Sie stand am Bett und strich Appleby die Haare aus der Stirn. »Er vergöttert sie. Ich weiß nicht, wie er diese Nachricht aufnehmen wird.«

»Ich werde zu Vater gehen«, sagte Joshua. »Das muß ich erledigen.«

Es war später Vormittag, und der alte Herr hielt wieder ein Nickerchen, nachdem er schon sehr früh aufgewacht war und gelesen hatte. »Vater«, sagte Joshua, »wach auf. Hör mich an. Ich muß dir etwas sagen.«

Sir Magnus versuchte den Eindruck zu erwecken, als hätte er gar nicht geschlafen. Unwirsch sagte er: »Na, dann mach schon. Ich hab nicht den ganzen Tag Zeit.«

In möglichst knappen Worten erzählte Joshua seinem Vater von der Tür auf dem Dachboden und von Applebys Tod.

Magnus war zutiefst getroffen, verbarg aber seinen Kummer hinter aufbrausendem Zorn und rief: »Ich habe es ja schon immer gewußt, daß der Dachboden gefährlich ist. Er hätte abgeschlossen und verriegelt gehört. Ihr habt mir dieses Jahr das Leben auf alle erdenkliche Weise zur Hölle gemacht. Ich bin ein alter Mann und sollte nicht mehr so leiden müssen.«

»Vinetta leidet«, sagte Joshua. »Wenn du Vinetta sehen könntest, wüßtest du, was wirkliches Leiden ist. Sie wird ganz wahnsinnig davon. Und ich sehe nur eine einzige Möglichkeit, ihr zu helfen.«

»Ja?« sagte Magnus. »Und die wäre?«

»Vinetta zuliebe, uns allen zuliebe – und das schließt auch dich mit ein –, muß der Belagerungszustand beendet werden. Alle unsere Probleme haben mit deiner fixen Idee angefangen, daß wir uns vor den Nachbarn verstecken müssen. Du hast meine Familie so eingeengt, daß sie fast daran erstickt ist. Es war klar abzusehen, daß daraus Zwistigkeiten entstehen würden. Von jetzt an gehen wir auf meine Weise vor.«

Sir Magnus ächzte.

»Wir müssen unser Bestes tun, um wieder zur Normalität zurückzukehren«, fuhr Joshua fort. »Wir werden alle besonders vorsichtig und besonders achtsam sein. Aber wir müssen wieder ein normales Leben führen. Sonst wird es unmöglich, Applebys Tod zu akzeptieren und zu lernen, damit zu leben. Wir würden uns in unsere Trauer verrennen und nicht mehr herausfinden.«

»Du willst also, daß sie alle nach Belieben ein und aus gehen können?«

»Ganz recht. Keine abgeschlossenen Türen mehr. Keine törichten Einschränkungen. Nur gute Unterweisung und Vernunft.«

»Und wenn das schiefgeht?« sagte Granpa und zog die

weißen Augenbrauen hoch. »Wenn ein Außenstehender hinter unser Geheimnis kommt? Hast du das bedacht?«

»Es wird nicht schiefgehen«, sagte Joshua, »solange wir uns an ein paar praktische Regeln halten.«

»Wie kannst du dir so sicher sein?«

Mit plötzlicher Klarheit erkannte Joshua die einzig wahre Antwort auf diese Frage.

»Das kann ich nicht. Das kann niemand«, sagte er. »Wenn wir tatsächlich auffliegen, müssen wir eben die Konsequenzen tragen.«

Magnus steigerte sich in einen Wutanfall hinein.

»Im Feuer verbrannt«, sagte er. »Im Labor aufgeschnitten. Im Zirkus vorgeführt. Soll deine Familie so enden? Möchtest du das?«

»Was schlägst *du* denn vor, Vater? Sollen wir etwa die Dachbodentür aufmachen? Ich habe schon ein Kind verloren. Gesteh mir wenigstens zu, daß ich eine Vorstellung davon habe, wie ich die anderen retten kann. Früher einmal habe ich dir in allem recht gegeben. Erst durch schlimme Erfahrungen habe ich gelernt, daß du unrecht hattest.«

»Und was ist mit Appleby?« fragte Magnus. »Was soll jetzt mit meiner Enkelin geschehen? Bist du so sicher, daß sie wirklich tot ist? Lumpenpuppen sterben nicht. Schau doch nur, wie alt ich schon bin, und ich lebe immer weiter.«

»Auf diese Frage gibt es nur eine Antwort. Ich werde dich zu ihr bringen, Vater, damit du sie mit eigenen Augen sehen kannst«, sagte Joshua. Er reichte dem alten Herrn den Arm und drückte ihm seinen Spazierstock in die Hand.

Sir Magnus schwang die Beine aus dem Bett und stellte sich wankend auf seine zwei lila Füße. Langsam verließen sie das Zimmer und gingen zu Applebys Tür hinüber. Joshua öffnete sie. Auf dem Bett, in die Decken gehüllt, lag der Körper seiner Tochter, genauso, wie er sie dort hingelegt hatte.

Sir Magnus trat ans Bett und nahm Applebys tote Hand in

seine. Er sank in den Sessel, in dem Joshua gesessen hatte. Mehrere Minuten lang blieb er stumm.

»Warum konnte nicht *ich* sterben?« sagte er schließlich. »Sie war so voller Leben, so ganz und gar voller Leben. Schau dagegen mich an – alt und verkrüppelt und nutzlos.«

Und er wirkte älter denn je. Er war ohne Morgenmantel und Pantoffeln aus seinem Zimmer gekommen. Seine lila Füße sahen mißgestaltet aus, der linke war heller als der rechte, weil er nicht den ständigen Schutz der Decke genossen hatte. Sein grünkariertes Nachthemd, das ihm fast bis zu den Knöcheln reichte, machte einen unwürdigen Eindruck. Tulip hätte nie zugelassen, daß er in solchem Aufzug sein Zimmer verließ. Selbst im äußersten Notfall hätte sie auf ordentlicher Kleidung bestanden.

Joshua wurde sich bewußt, wie erbärmlich sein Vater aussah. Fest, aber behutsam faßte er den alten Herrn am Arm und brachte ihn in sein Zimmer zurück.

»Und jetzt geht alles wieder seinen normalen Gang«, sagte er, als er Sir Magnus ins Bett half. »Ich werde es den anderen noch heute verkünden und ihnen die Vorsichtsmaßnahmen erklären, die wir einhalten müssen.«

»Mach, was du willst«, sagte Magnus. »Ihr könnt alle machen, was ihr wollt. Mir ist jetzt alles egal.«

Die anderen wurden über Joshuas Entscheidung informiert.

»Selbst wenn wir jetzt wieder nach Belieben aus dem Haus gehen können«, sagte er, »muß am Fenster weiterhin Wache gehalten werden. *Wir* müssen die neugierigen Nachbarn werden. Das gebietet der gesunde Menschenverstand.«

Miss Quigley übernahm es, den Kindern zu sagen, daß ihre Mutter ihre Hilfe brauchte.

»Sie hat sich all die Jahre um euch gekümmert«, sagte sie. »Jetzt müßt ihr euch um sie kümmern. Stellt euch vor, sie wäre krank. Bis es ihr wieder bessergeht, werde ich den Haushalt versorgen und das Waschen und Bügeln übernehmen. Aber ihr müßt alle euer Teil dazu beitragen. Ich habe nicht die Absicht, Googles zu vernachlässigen.«

Poopie und Wimpey nickten feierlich. Pilbeam und Soobie faßten den Entschluß, alles zu tun, was in ihren Kräften stand.

Nach einigen Tagen hatte sich Vinetta so weit gefaßt, daß sie es fertigbrachte, aus ihrem Zimmer zu kommen und sich den anderen zu stellen. Alle waren bedrückt und warteten darauf, zum erstenmal wieder Applebys Namen zu hören. Soobie saß in seinem Sessel am Fenster und bezweifelte, daß ohne Appleby, Vinettas verlorenem Schaf, das Leben jemals wieder normal werden konnte. Joshua behielt alles im Auge, darauf gefaßt, jederzeit helfend einzugreifen, aber auch gern bereit, still zu bleiben.

»Ihr fragt euch alle, was ich jetzt sagen werde«, sagte Vinetta. Sie sah verhärmt aus. Ihre Haare waren ordentlich zurückgekämmt und sie hatte ein unnatürliches Lächeln aufgesetzt, aber in ihren blaugesprenkelten Augen lag kein Glanz. »Das sehe ich euch an. Ich habe in den letzten Tagen nichts anderes getan als nachzudenken. Mir scheint, daß niemand mit absoluter Sicherheit sagen kann, ob Appleby wirklich für immer tot ist. Selbst wenn es so aussieht, als wäre kein Leben mehr in ihr, besteht doch noch Hoffnung. Wir müssen einfach abwarten.«

»Und in der Zwischenzeit?« fragte Soobie. Er machte sich Sorgen, daß seine Mutter sich allzusehr an eine vergebliche Hoffnung klammern könnte. Tulip hatte Pilbeam und ihn zu Appleby geführt, damit sie Abschied von ihr nehmen konnten. Sie hatten sich der Tatsache gestellt, daß ihre Schwester tot war. Es hatte sehr weh getan. Es tat immer noch weh. Aber sie wußten, daß sie es akzeptieren mußten, weil es die Realität war. Es kam ihm gefährlich vor, daß seine Mutter das anders sah.

»In der Zwischenzeit«, sagte Vinetta und sah ihn mit einem eindringlichen, wissenden Blick an, »leben wir weiter wie bisher.«

Das war eine tapfere Entscheidung, und es war ihr nicht leichtgefallen, sich dazu durchzuringen.

Später sprach Joshua unter vier Augen mit Soobie.

»Du solltest versuchen, dich nicht zu sorgen«, sagte er. »Eines Tages wird deine Mutter trauern, und in ihrer Trauer wird sie wissen, daß Appleby wirklich tot ist. Aber jetzt ist sie noch nicht soweit.«

Soobie sah seinen Vater voller Respekt an.

»Du verstehst sie«, sagte er.

»Ich liebe sie«, sagte Joshua, und dann wandte er sich ab, als hätte er das Gefühl, zuviel gesagt zu haben.

Von den heimlichen Besuchen, die Tulip dem Zimmer im zweiten Stock abstattete, gibt es nicht viel zu berichten. Der lose Faden an Applebys Lippe wurde abgeschnitten, ihre langen, roten Haare wurden glattgebürstet, und ihr Kopf wurde auf frische Kissen gebettet.

# 37
# Auf Beobachtungsposten

Und so gingen die Mennyms wieder ihren üblichen Beschäftigungen nach. Poopie arbeitete im Garten und legte sich mächtig ins Zeug, um ihn wieder in Ordnung zu bringen. Joshua half ihm, wann immer er Zeit dazu hatte. Pilbeam machte Einkäufe. Vinetta ging auf den Markt. Miss Quigley wartete geduldig auf den neuen Kinderwagen, der gekauft werden sollte, um den altmodischen zu ersetzen. Aber sie hatte ihre Freude daran, Googles in den Garten hinterm Haus mitzunehmen und in dem geschützten Winkel hinten an der Hecke zu sitzen und zu malen. Und wenn Tulip Nachschub an Wolle brauchte, machte sie eine große Zeremonie daraus, sich für die Außenwelt bereit zu machen, und dann ging sie, auch wenn sie dabei ein wenig das Gefühl hatte, ihrem Mann in den Rücken zu fallen. Aber sogar er überwand sein Schmollen und seinen Kummer immerhin so weit, daß er Pilbeam als sein Laufmädchen einstellte.

»Geh erst aus dem Haus, wenn du dich vergewissert hast, daß niemand auf der Straße ist«, sagte er. »Und sprich dich mit dem Wachposten ab, bevor du gehst.«

Der »Wachposten« war immer derjenige, der oben am Fenster gerade Dienst tat. Man war zu dem Ergebnis gekommen, daß das Fenster über dem Wohnzimmer, im Schlafzimmer von Vinetta und Joshua, einen besseren Ausblick über die gesamte

Straße bot. Der Wachdienst wurde noch strenger gehandhabt als zuvor, von Sonnenaufgang bis Sonnenuntergang und noch ein Weilchen darüber hinaus. Joshua mußte seine Tagesruhe auf dem Sofa im Eßzimmer verbringen.

Und die Späher sahen Szenen aus einem Leben, wie sie selbst es nie führen würden. Es waren Szenen, um die sich die meisten von ihnen bisher gar nicht gekümmert hatten.

Die Richardsons aus der Nummer 2 legten sich plötzlich ein neues Baby zu. Als Vinetta ihren Dienst am Fenster tat, sah sie eine schicke junge Frau, die mit einem kleinen, modernen Kinderwagen durch das Tor kam.

»So etwas brauchen wir für Googles«, sagte sie zu Hortensia, die ihr bei der Fensterwache Gesellschaft leistete. Sie hatten eine ganze Reihe von Tulips Katalogen durchgesehen, konnten sich aber nicht entscheiden, ob sie einen kleinen Kinderwagen, ein Tragebettchen auf Rädern oder eine große Sportkarre mit Verdeck nehmen sollten.

Hortensia war besorgt.

»Vielleicht muß ich ein paar Jahre warten, bis ich mit Googles wieder in den Park kann«, sagte sie. »Mit einem zweiten Baby in der Straße könnte das unangenehm werden. Die Mutter versucht womöglich, mich anzuhalten und Vergleiche anzustellen.«

Es war Soobie, der die Beerdigung beobachtete.

»In der Nummer 4 muß jemand gestorben sein«, sagte er. Es gab viele Autos und Blumen und Trauergäste. Der *Castledean Gazette* entnahm Miss Quigley die Information, daß die Verstorbene Millicent Isabella Jarman war, achtundsiebzig Jahre alt, Ehefrau von Andrew Jarman, Mutter von Oswald, George und Helen und liebevolle Großmutter einer ganzen Familie.

Bei ihren Beobachtungen merkten die Mennyms, daß die Jarmans es nicht eilig hatten, woanders hinzuziehen. Einer der Söhne lebte offenbar noch zu Hause. Jeden Morgen zur gleichen Zeit fuhr er mit dem Auto zur Arbeit. Den Vater konnte man bei der Gartenarbeit sehen, wobei ihm ein junger Mann half. Das konnte ein Enkel sein oder vielleicht ein Hilfsarbeiter.

Dann, an einem Samstagvormittag Mitte Oktober, sah Wimpey, die gerade Wachdienst hatte, das aufregendste Ereignis überhaupt. Eine Hochzeit! Eine große, wunderbare Hochzeit!

»Schnell, Mum, schnell«, rief sie. »Komm, schau dir das an! Da heiratet jemand.«

Vinetta, Tulip und Pilbeam kamen allesamt herbeigelaufen. Sie schauten aus dem Fenster und konnten der Versuchung nicht widerstehen, die Gardine etwas anzuheben. Auf der Einfahrt von Nummer 9 sahen sie die Braut am Arm ihres Vaters. Die beiden wollten gerade in den Brautwagen steigen, einen Rolls-Royce, der mit weißen Satinbändern geschmückt war. Ein Fotograf machte Aufnahmen von der Braut, bei der es sich um Anthea Fryer handelte, und von Alec und Loretta, ihren Eltern. Alec hatte beschlossen, daß das Fotoalbum ein Kunstwerk werden sollte, ein Schatz, an dem man für alle Zeit seine Freude hatte. Anthea hatte sehr energisch abgelehnt, als er die ganze Prozedur auf Video aufnehmen wollte, aber beim Fotoalbum hatte sie nachgegeben.

Was das Kleid anbetraf, hatte sich Anthea den Wünschen ihrer Mutter gefügt. Es war ein langes Kleid, ein Traum aus Satin und Spitze. Für eine Amazone war es absolut unpassend, aber schließlich hatte sich selbst die Amazonenkönigin Hippolyta einer vornehmen Hochzeit unterziehen müssen!

Die Trauung fand in der St.-Mark's-Kirche in der Lower Malvern Street statt. Auch das war ein Kompromiß. Antheas Vater war für die Kathedrale gewesen. Aber Anthea, die sich jetzt schon reifer fühlte, wollte lieber eine stille Hochzeit im Kreis der Familie, ohne großes Tamtam. Die Gästeliste war länger, als es ihr lieb war, aber wenigstens war die Kirche klein und hübsch und bot eher Trost als Prunk.

»Sie ist eine schöne Braut«, sagte Vinetta. »Mir war gar nicht aufgefallen, wie gut sie aussieht.«

»Alle Bräute sind schön«, sagte Tulip, »und aus dieser Entfernung kannst du das sowieso kaum beurteilen.«

Tulip mußte immer ihr Gift versprühen. Und Anthea *war* eine schöne Braut, aus jeder Entfernung.

Die *Castledean Gazette* erschien zweimal die Woche. Miss Quigley brachte die nächste Ausgabe mit nach Hause, ging damit ins Wohnzimmer und suchte nach einem Bericht über die Hochzeit im Brocklehurst Grove.

»Irgendwo muß da was drinstehen«, sagte sie und betrachtete mit kurzsichtigen Augen die Zeilen.

»Ich suche es für Sie«, bot Pilbeam an, und Miss Quigley, der es peinlich war, daß sie möglicherweise sehr lange brauchen würde, um den Bericht zu finden, gab die Zeitung nur allzugern an sie weiter.

Pilbeam blätterte rasch die Seiten durch, bis sie auf ein verschwommenes Foto von einem nicht erkennbaren Brautpaar stieß, das gerade die Hochzeitstorte anschnitt. Selbst für die *Gazette* war das sehr undeutlich.

Pilbeam las den Text über die Hochzeit im Brocklehurst Grove laut vor. Der übliche trockene Bericht über das Wer, Wo und Wann endete mit der Information, daß Braut und Bräutigam ihren Hausstand in Huddersfield gründen würden.

»Das liegt nicht gerade am anderen Ende der Welt«, sagte Soobie, »ist aber immerhin weit genug weg, um unserem Zweck zu dienen.«

»Ein Jammer, daß die übrige Familie nicht auch wegzieht«, sagte Tulip, als sie davon erfuhr. »Sie könnte immer noch zu Besuch herkommen.«

»Und wenn sie das tut«, sagte Vinetta, »werden wir Bescheid wissen. Wir dürfen auf keinen Fall davon ausgehen, daß sie die einzige Gefahr ist. Die Wache muß weitergehen.«

# 38
# Pilbeams Geburtstag

Der Dachboden war jetzt ein Ort, an den man sich erinnerte, der aber nie mehr aufgesucht wurde. Aus den restlichen Stoffen in der Truhe aus Weidengeflecht würden niemals Kleider oder Hemden genäht werden. Die Bücher, der Schaukelstuhl und all das andere Gerümpel würden dort oben bleiben und verstauben. Auch Pilbeams Spiegel blieb dort oben liegen. Es war ein ovaler, holzgerahmter Spiegel, der an einem dazu passenden Ständer hing. Pilbeams Spiegel? Ja, denn in diesem Glas hatte Pilbeam vor vier Jahren zum erstenmal ihr eigenes Gesicht gesehen. Zu dieser Zeit hatte sie zwei lange Zöpfe getragen. So hatte Tante Kate sie geschaffen. Pilbeam hatte sich im Spiegel betrachtet und auf Anhieb gewußt, daß sie keine Zöpfe haben wollte.

»Weißt du was?« sagte sie zu Wimpey. »Morgen vor vier Jahren habe ich mich oben auf dem Dachboden zum erstenmal im Spiegel gesehen.«

Sie saßen im Wohnzimmer an dem runden Tisch, den sie glücklicherweise vom Dachboden heruntergeholt hatten, als Pilbeam in die Familie kam. Gemeinsam schauten sie den Kalender durch und zählten die Tage bis Weihnachten. Morgen war der achtundzwanzigste Oktober.

»Der Tag des Judas«, sagte Pilbeam. »Der Schutzpatron für aussichtslose Fälle.«

Wimpey ignorierte die Anspielung, die sie nicht verstand, und ließ sich statt dessen etwas anderes einfallen.

»Machen wir doch deinen Geburtstag daraus«, sagte sie. »Du könntest zusammen mit Soobie ein Fest feiern.«

Bisher war Appleby die einzige in der Familie gewesen, die ihren Geburtstag feierte. Der Geburtstag der jüngeren »Zwillinge« fiel aus unerfindlichen Gründen mit Weihnachten zusammen. Die Erwachsenen waren schon zu alt für Geburtstage. Und Soobie sträubte sich immer dagegen, bei einem größeren So-tun-als-ob mitzumachen.

Pilbeam mußte über Wimpeys Vorschlag lächeln.

»Ich kann mir nicht vorstellen, daß Soobie seinen Geburtstag oder sonst irgendwas feiert. Immerhin, die Sache mit den aussichtslosen Fällen dürfte ihm zusagen.«

»Na, dann kannst du doch ein Fest feiern«, sagte Wimpey, »und Soobie kriegt den heiligen Judas.«

Nach einiger Überlegung fügte sie noch hinzu: »Und ihr könnt beide siebzehn werden. Achtzehn klingt gar nicht gut. Das hat mir noch nie gefallen. Appleby mag es auch nicht, daß du achtzehn bist.«

In Wimpeys Vorstellung lebte ihre Schwester noch, nur hatte sie sich in ihrem Zimmer versteckt, das sie nicht betreten durfte. Das So-tun-als-ob war noch nicht vorbei. Was sollte sie sich denn sonst vorstellen?

Pilbeam seufzte. Jeder Hinweis auf Appleby schmerzte sie zutiefst. Aber Pilbeam liebte Wimpey zu sehr, um sich ihren Kummer vor ihr anmerken zu lassen. Auf ein Fest ließ sie sich nicht ein, aber um Wimpey eine Freude zu machen, versprach sie ihr, daß sie den nächsten Tag als ihren Geburtstag bezeichnen und von ihrem Alter ein Jahr abziehen würde. Das machte kaum einen Unterschied. Sie hatte zwei Jahre hinzugefügt, jetzt zog sie wieder ein Jahr ab und würde Soobie bitten, es ebenso zu machen.

In einer Stimmung, die seinem düster-blauen Gesicht haargenau entsprach, erklärte sich Soobie einverstanden, siebzehn Jahre alt zu sein und Judas als Schutzpatron zu akzeptieren. Aus seiner Sicht war schon seit langem nichts Gutes mehr geschehen, und es war nicht sehr wahrscheinlich, daß sich daran etwas ändern würde. Sie waren wirklich ein hoffnungsloser Fall.

Aber gleich am nächsten Tag ereignete sich doch etwas, das sich als gut erweisen konnte. Als Soobie im Wohnzimmer am Fenster saß, sah er einen riesigen Möbelwagen vorbeifahren. An der Ecke bog er ab, fuhr an der Nummer 7 und der Nummer 8 vorbei und hielt vor der Nummer 9. Das konnte interessant werden. Die Tochter war verheiratet. Zogen auch die Eltern fort? Mit einer für ihn ganz untypischen Energie lief er rasch die Treppe zum Schlafzimmer seiner Eltern hinauf, um einen besseren Ausblick zu haben. Pilbeam war schon dort und leistete ihren offiziellen Wachdienst ab.

»Ich glaube, die Fryers ziehen um«, sagte sie. »Das wäre nicht schlecht. Anthea wird jetzt keinen Grund mehr haben, nach Castledean zurückzukehren. Wir können das als gutes Vorzeichen für unseren Geburtstag betrachten.«

Der große Flügel war das letzte Möbelstück, das in der Nummer 9 eingetroffen war. Soobie konnte sich noch sehr gut daran erinnern. Jetzt wurde es als erstes abtransportiert. Mit gewaltiger Kraftanstrengung verstauten drei Möbelpacker das Instrument in ihrem Wagen. Diese Prozedur kostete sie anderthalb Stunden.

»Wann wohl die restlichen Möbel weggebracht werden?« sagte Pilbeam, als der Möbelwagen abfuhr.

»Vielleicht schaffen sie nur ihr Klavier weg«, sagte Soobie. »Es könnte Antheas Klavier sein, das ihr jetzt nach Huddersfield nachgeschickt wird. Vielleicht ziehen die Eltern ja gar nicht aus.«

In den letzten Wochen hatten die Mennyms gesehen, wie Loretta Fryer durch ihren Garten lief, in den Blumenrabatten Unkraut jätete und die Rosen beschnitt. Hin und wieder war sie in einem knallrosa Trainingsanzug beim Joggen zu sehen gewesen. Das machte Soobie zu schaffen, aber nur ein bißchen. Eine Frau in ihrem Alter würde mitten im Winter wohl kaum noch spätabends joggen. Und Soobie hatte bereits beschlossen, erst Ende November wieder eine Jogging-Tour zu riskieren.

Alec war eindeutig bedrohlicher als seine Frau. Er trug ein Fernglas um den Hals und hielt es sich immer wieder vor die Augen, um Vögel zu beobachten. Soweit die Mennyms es beurteilen konnten, schien er nicht direkt neugierig zu sein, aber er wurde dabei gesehen, wie er sich mit dem Mann aus der Nummer 3 unterhielt, und eines Tages hatte er den älteren Mr. Jarman tatsächlich mal im Auto mitgenommen, als sein Sohn schon zur Arbeit weggefahren war.

»Wir sind eben ein hoffnungsloser Fall«, sagte Soobie, als Pilbeam die Sprache auf Judas brachte. »Merkst du denn nicht? Die Leute werden immer neugieriger. Offenbar glauben sie, daß sie ein Recht darauf haben, über die Angelegenheiten anderer Leute Bescheid zu wissen. Schau dir nur mal die Zeitungen an! Es gibt überhaupt keine Intimsphäre mehr. Die Computer übernehmen die Herrschaft über die Welt. Sie können Informationen auf eine Weise miteinander verknüpfen, wie es kein Mensch fertigbringt. Es kann gut sein, daß es uns nicht mehr lange gelingt, sie zu täuschen. Bei uns in der Familie paßt einfach nichts zusammen.«

»Sag doch nicht so was«, sagte Wimpey. Sie verstand zwar nicht so ganz, merkte aber, wie pessimistisch die Worte ihres Bruders waren. »Du hast Geburtstag. Du bist wieder siebzehn. Die Belagerung ist vorbei, und wir können uns alle wieder freuen.«

»Ja«, sagte Pilbeam mit großer Entschiedenheit, obwohl sie nur allzu gut verstand, was Soobie meinte, »das können wir. Gehen wir ins Wohnzimmer hinunter und veranstalten eine Geburtstags-Scharade. Laßt uns Musik hören und reden und lachen. Dazu sind Geburtstage doch da, oder?«

Soobie merkte, wie spröde ihre Stimme klang, und erkannte Spuren von Verzweiflung darin. Erneut kam er zu dem Ergebnis, daß So-tun-als-ob manchmal nötig ist. Wenn wir nicht weiter so tun als ob, dachte er, können wir vielleicht gar nicht überleben. Dieser Grundsatz war schwer zu akzeptieren, ließ sich aber keinesfalls ignorieren.

Und so veranstalteten sie eine Art Party, und im Lauf des Nachmittags wurden sie so laut und vergnügt, als hinge keine drohende Wolke über ihnen. Es gelang ihnen sogar zu vergessen, daß Appleby nicht mit dabei war.

Soobie gab sich von allen die größte Mühe, vergnügt zu sein. Die älteren Familienmitglieder gesellten sich dazu. Und Miss Quigley, die Googles zu ihnen brachte, damit sie auch ihren Spaß hatte, wartete mit einem neuen Talent auf – nein, sie zauberte kein Kaninchen aus einem Hut, aber sie fertigte während der Spiele mit Skizzenblock und Pastellfarben von allen Anwesenden Porträts an. Dann zeichnete sie zu Poopies und Wimpeys großer Begeisterung Disneyfiguren und ließ auch die Kinder malen.

»Der ist *sehr gut*«, sagte sie, als Wimpey einen Teddy zeichnete. Und sie bewunderte auch Poopies schnittiges Flugzeug.

Tulip saß strickend dabei und schaute ungewohnt leutselig drein. Man ist nie zu alt zum Lernen. Es fällt einem nur ein klein wenig schwerer, wenn man älter wird.

»Solche Tage müßten wir öfter mal haben«, sagte Vinetta. »Meine Kinder waren schon so lange nicht mehr fröhlich.«

Vinetta machte sich nichts mehr vor. Diese Phase war vorbei. Sie hatte den Tod ihrer Tochter schließlich als gegeben akzeptiert, und allmählich konnte sie auch wieder an das Leben glauben. An ihrer Trauer um Appleby hatte sie nur Joshua teilhaben lassen. Es war so gewesen, wie er es vorausgesagt hatte. Eines Tages war Vinetta in seinen Armen plötzlich zusammengebrochen und hatte ihre Qualen herausgeschluchzt, die Qualen eines gebrochenen Herzens. Erst danach begann sie zu begreifen, daß sie in gewisser Weise Applebys Leben feierte, wenn sie sich ohne verzweifeltes So-tun-als-ob an ihre Tochter erinnerte. Der Heilungsprozeß schritt sehr langsam voran, langsam, aber sicher.

# 39

# Das letzte Kapitel

Trotz der kurzen Verschnaufpause hatten die Mennyms immer noch keinen richtigen Frieden. Die Fryers waren zum Symbol der Bedrohung geworden. Solange sie nicht endgültig aus der Straße verschwunden waren, mußten die Wachen weitergeführt werden, das Unbehagen mußte genährt werden, damit die Gefahr keine Chance hatte, sich unversehens an sie heranzuschleichen. Und doch kam das, was als nächstes geschah, völlig unerwartet.

An einem Novembermorgen hielt ein Möbelwagen vor dem Brocklehurst Grove Nummer 5. Die Möbelpacker stiegen aus, machten das zweiflügelige Tor auf und gaben dem Fahrer Zeichen. Rückwärts fuhr er in die Auffahrt der Mennyms. Es war morgens um halb neun. Die Arbeiter waren zur Stelle, sie hatten die Ladeklappe geöffnet und waren einsatzbereit. Entsprechend der Gepflogenheiten ihrer Firma ließen sich die vier anschließend auf der Ladefläche nieder und frühstückten erst mal.

Granpa Mennym, der ungewohnten Lärm vernahm, stellte sein tragbares Bett-Pult sorgfältig auf dem Nachttisch ab und reckte sich an der Seite, die dem Fenster am nächsten war, über die Bettkante. Mit knapper Not konnte er die Gardine erreichen. Er lüpfte sie und war entsetzt über das, was er sah.

»Tulip!« schrie er. »Tulip!«

Aber Tulip war zwei Stockwerke tiefer, im Frühstückszimmer auf der Rückseite des Hauses.

Vinetta, die im ersten Stock Kleidungsstücke in den Trockenschrank räumte, hörte die Stimme des alten Herrn und lief eilig zu ihm.

»Jetzt ist es passiert«, sagte Magnus, als sie ins Zimmer kam. »Sie haben uns entdeckt, und jetzt holen sie uns von hier fort.«

Vinetta schaute aus dem Fenster. Sie sah den Möbelwagen, und ihr fiel keine bessere Erklärung dafür ein als die ihres Schwiegervaters. Wer hatte sie verraten? Was sollten sie tun?

»Wir wehren uns«, sagte Magnus und packte seinen Spazierstock. »So leicht geben wir nicht auf. Hol die anderen. Sag ihnen, daß sie sich bereit machen sollen.«

Vinetta zögerte. Sie war sich nicht sicher, ob sie Magnus in diesem Zustand allein lassen konnte. Dann lief sie ins Eßzimmer hinunter, wo Joshua bereits schlafend auf dem Sofa lag.

»Josh«, sagte sie, »ich glaube, du wachst jetzt besser auf. In der Auffahrt vor dem Haus steht ein großer Möbelwagen, und wir wissen nicht, was das soll.«

»Mhm«, sagte Joshua und drehte sich auf die andere Seite, um es sich bequemer zu machen.

»Josh«, sagte Vinetta, diesmal eindringlicher als zuvor, »wach auf! Hast du nicht gehört, was ich gesagt habe?«

Soobie war gerade aus seinem Zimmer heruntergekommen. Er ging ins Wohnzimmer und setzte sich auf seinen angestammten Platz am Fenster, griff nach der Zeitung, die er gestern abend hier liegengelassen hatte, und warf einen Blick aus dem... Was war *das*? Er sprang von seinem Sessel hoch und trat näher an die Gardine heran. Jetzt war eindeutig zu erkennen, daß es sich bei dem Gegenstand, der ihm die Aussicht versperrte, um einen sehr großen Möbelwagen handelte. Und er stand in ihrer Auffahrt.

»Mutter!« rief er. »Granny!«

Tulip kam aus dem Frühstückszimmer. Sie folgte Soobies entsetztem Blick.

»Was um alles in der Welt tut das Ding hier?« sagte sie. »Ich frag mich, was die Leute sich dabei denken.«

Hinter ihr kamen Vinetta und Joshua herein.

»Magnus glaubt, sie wurden hierhergeschickt, um uns wegzubringen.«

Poopie hatte das Zimmer neben dem seiner Eltern, es lag also auch nach vorne raus. Er stieg aus dem Bett und schaute aus dem Fenster. Was er sah, ließ ihn blitzartig die Treppe hinuntersausen, um den anderen lautstark zu verkünden, was sie schon wußten.

»Da draußen ist ein Möbelwagen«, sagte er. »Und er hat auf unserer Auffahrt geparkt.«

Pilbeam kam im Morgenmantel ins Wohnzimmer. Der Tumult hatte sie geweckt. Sie war noch ganz schlaftrunken. In der Nacht lag sie oft wach und wünschte sich, Appleby würde hereingeplatzt kommen. Sie konnte ihr Frechheiten an den Kopf werfen, Lügen erzählen oder sonst etwas tun, nur sollte sie wieder leben. Am Morgen fühlte Pilbeam sich dann reif zum Schlafengehen anstatt zum Aufstehen. Sie sah den Möbelwagen in der Auffahrt vor dem Fenster und war verwirrt.

Miss Quigley saß im Kinderzimmer in ihrem großen Lehnstuhl. Er stand mit der Lehne zum Fenster, und Miss Quigley war damit beschäftigt, Googles für den Tag anzuziehen. Worum es bei dem Lärm im Wohnzimmer auch gehen mochte – das mußte warten. Die Kinderfrau hatte eine klare Rangfolge. Zuerst das Baby, alles andere danach.

Die Männer auf dem Wagen hatten ihre erste Pause des Tages beendet und machten sich für die bevorstehende Aufgabe bereit.

»Also los«, sagte Alfie Cave. »Wird Zeit, daß wir anfangen.«

»Komisch, daß noch keiner rausgekommen ist. Sonst sind die Leute immer gleich zur Stelle, wenn sie den Wagen sehen«, sagte Ted, der Fahrer.

»Vielleicht haben sie ja verpennt«, sagte George, das jüngste Mitglied des Trupps.

»Na ja«, sagte Alfie, »es ist neun Uhr. Wir können nicht hier rumstehen und warten. Wenn sie noch schlafen, haben sie eben Pech gehabt. Paßt mal auf, wie ich die wach kriege!«

Er ging zur Tür und drückte kräftig auf die Klingel, einmal, zweimal, dreimal. Dann wartete er.

Drinnen im Haus hatten die im Wohnzimmer versammelten Mennyms beschlossen, daß niemand an die Tür gehen sollte. Damit war die Sache zwar sicher nicht erledigt, aber Aufmachen war bestimmt die falsche Entscheidung, wie immer die richtige auch aussehen mochte. Sie versuchten, Ruhe zu bewahren.

»Vielleicht funktioniert die Klingel nicht«, sagte George, nachdem eine Minute verstrichen war.

Alfie donnerte kräftig gegen den Türklopfer.

Die Mennyms im Wohnzimmer begannen sich jetzt ernstlich zu sorgen. Im zweiten Stock lag Granpa, der sich plötzlich sehr alt und gebrechlich fühlte, zitternd im Bett. Miss Quigley drehte sich zum Fenster um, sah die Männer an der Haustür und verkroch sich wieder in ihren großen Lehnstuhl. Tröstend drückte sie Googles an sich.

Wimpey kam, ihre amerikanische Puppe im Arm, die Treppe heruntergelaufen. Vinetta hörte sie, stürzte in den Flur hinaus und zog sie ins Wohnzimmer.

»Was ist das für ein Klopfen?« fragte Wimpey mit ziemlich lauter Stimme.

»Pst«, sagte Vinetta, »wir müssen alle ganz still sein. Draußen sind ein paar Leute, die hier hereinwollen.«

»Ich-heiße-Polly«, sagte die Puppe. »Wie-heißt-du?«

»Pst«, machte Vinetta wieder.

»Ich konnte nichts dafür, Mum«, flüsterte Wimpey und drückte Polly fest an die Brust, damit so etwas nicht noch mal passierte.

»Was zum Teufel treiben die denn?« sagte Alfie. »Sie haben uns eindeutig für den zehnten November bestellt. In solchen Dingen machen wir keine Fehler.«

Er schlug mit der Faust gegen die Holztäfelung der Tür.

Die Mennyms drinnen im Haus zitterten vor Angst. Würden diese fremden Männer die Tür einschlagen und gewaltsam eindringen? Wimpey klammerte sich an ihre Mutter.

»Es könnte höchstens sein, daß keiner da ist. Vielleicht überlassen sie es einfach uns, die Arbeit zu erledigen. Ob sie womöglich die Schlüssel im Büro hinterlegt haben?« sagte Freddie Topham. »Das wär mal wieder typisch Jean, so was zu vergessen.«

»Solange ich diesen Job mache, hat noch niemand die Schlüssel hinterlegt«, sagte Alfie. »Die Leute haben alle viel zuviel Angst, daß etwas schiefgehen könnte.«

Alfie las noch einmal Namen, Adresse und Datum in seinen Unterlagen nach, trat dicht an die Tür heran, machte die Briefklappe auf und lugte hindurch. Die Eingangshalle und der Flur dahinter lagen in fast völliger Finsternis. Alfie strengte seine Augen an, ob er irgendwo ein Anzeichen von Leben entdecken konnte.

»Hier ist weit und breit noch nicht mal eine Kiste in Sicht«, rief er über die Schulter zurück. »Sammy Little hat gesagt, sie hätten gestern elf Kisten vorbeigebracht.«

Die Mennyms drinnen im Haus hörten Alfies Worte und waren vor Angst wie gelähmt. Elf Kisten? Elf Lumpenpuppen. Was hatten sie vor? Kamen die Männer sie holen? Die Mennyms sahen einander an und wagten kaum zu atmen.

Alfie schaute wieder auf seinen Zettel. Dann rief er zu den Fenstern hinauf: »Mr. Fryer, Mrs. Fryer, sind Sie da?«

Und da wußten die Mennym plötzlich, was passiert war. Der Wagen war zur falschen Adresse gefahren. Es gab für sie jedoch keine Möglichkeit, den Möbelpackern diese lebenswichtige Information mitzuteilen. Sie blieben still sitzen und warteten.

Die Männer vor dem Haus beschlossen gerade, »es mal am Hintereingang zu versuchen«, als eine Stimme sie rief und Schritte auf dem morgendlich stillen Bürgersteig zu hören waren.

Alec Fryer rannte zum Haus der Mennyms.

»He«, sagte er und winkte den Männern zu, während er sich an dem Wagen in der Auffahrt vorbeischob. »Was soll das denn? Möbeltransport *Akropolis*?«

»Das sind wir«, sagte Alfie.

»Sie hätten vor einer halben Stunde an meinem Haus sein sollen.«

»Mr. Fryer?«

»So heiße ich«, sagte Alec entnervt.

»Na, wo sind denn jetzt die Schlüssel?« fragte Alfie, der immer noch nicht kapierte, was los war.

»Lieber Himmel, Mann«, sagte Alec, »kapieren Sie denn nicht, was hier schiefgelaufen ist? Sie sind zur falschen Adresse gefahren. Haben die Leute hier im Haus Ihnen das nicht gesagt?«

Alec nickte zur Tür der Nummer 5 hin.

»Da hat niemand aufgemacht«, sagte Alfie. »Auf dem Auftragsformular steht Nummer 5. Wir können schließlich nicht Gedanken lesen.«

»Na, dann versuchen Sie mal, von den Lippen abzulesen«, sagte Alec zornig. »Nummer 9. Dort drüben sollten Sie sein. Steigen Sie jetzt bitte in den Wagen und fahren Sie zu meinem Haus ... und zwar ein bißchen plötzlich.«

»Das war nicht unser Fehler«, sagte Alfie. »Wir richten uns nach dem, was auf dem Zettel steht.«

Die Mennyms stießen einen kollektiven Seufzer der Erleichterung aus, als der Möbelwagen ihre Auffahrt verließ. Von den Fenstern oben und unten sahen sie zu, wie er mit den Siebensachen aus Nummer 9 beladen wurde.

Dann fuhr der Wagen der Firma *Akropolis* davon. Die

Mennyms sahen ihm nach, bis er um die Ecke bog und außer Sichtweite war, und dabei fiel ihnen der sprichwörtliche Stein vom Herzen.

»Ich glaube«, sagte Vinetta, »daß wir eine neue Chance bekommen haben, einen neuen Pachtvertrag für das Leben.« Sie zog die Gardine gerade und trat vom Fenster weg.

»Aber was ist Leben?« fragte Soobie.

»Leben ist kostbar«, sagte Vinetta. »Und mehr brauchen wir darüber nicht zu wissen.«

# Inhalt

*Sylvia Waugh* lebt in Gateshead, Nordengland, wo sie bis zu ihrer Pensionierung als Englischlehrerin arbeitete. »Die Mennyms in der Falle« ist der dritte Band von insgesamt fünf Büchern über das Schicksal der zum Leben erweckten Stoffpuppenfamilie. »Die Mennyms« und die »Mennyms auf der Flucht«, bei Hanser 1996 erschienen, wurden von der Kritik bereits als moderne Klassiker gefeiert und haben sich in aller Welt treue Leser erobert.

Ebenfalls im Hanser Kinderbuch:

# Sylvia Waugh
# Die Mennyms

240 Seiten
ISBN 3-446-17974-7

Hinter der Fassade einer idyllischen Vorstadtvilla spielt sich das geheimnisvolle Leben der Familie Mennym ab – ein Leben, das dem der Menschen so ähnlich wie möglich sein muß. Denn fände man die Wahrheit über sie heraus, hätte das für die Familie schreckliche Folgen: Die Mennyms sind nämlich keine Menschen.

*»Ein Roman in der besten britischen Tradition geschrieben, eine Jane Austen oder ein Thomas Hardy für alle Kinder- und Kindgebliebenen.«*      *Süddeutsche Zeitung*

Ebenfalls im Hanser Kinderbuch erschienen:

# Sylvia Waugh
# Die Mennyms auf der Flucht

272 Seiten
ISBN 3-446-18567-4

Niemand ahnt und darf wissen, was sich in der Villa Nr. 5 im Brocklehurst Grove abspielt. Denn die Mennyms, die dort wohnen, sind keine Menschen, obwohl sie so tun als ob. Als ihre Villa einer Schnellstraße weichen soll, wird ihnen klar, daß sie sich einem Menschen anvertrauen müssen, wenn sie ihre Existenz nicht aufs Spiel setzen wollen.

*»Diese Familie hat sich das Happy-End der Geschichte wirklich verdient. Fünfzig spannende Kapitel, phantasievoll ausgedacht und schön erzählt – kein Wunder, daß die Autorin in England prompt den angesehenen Guardian Children's Fiction Prize erhielt.«*      *Der Tagesspiegel*